Léa Wiazemsky

Née en 1979 à Paris, Léa Wiazemsky est une actrice et romancière française. Elle a joué dans de nombreux téléfilms et au cinéma. Elle publie son premier roman, *Le vieux qui déjeunait seul* aux Éditions Michel Lafon en 2015, repris chez Pocket. Son deuxième roman, *Le Bruit du silence*, est publié chez Michel Lafon en 2017.

LE VIEUX
QUI DÉJEUNAIT SEUL

LÉA WIAZEMSKY

LE VIEUX QUI DÉJEUNAIT SEUL

Michel LAFON

© Éditions Michel Lafon, 2015
ISBN : 978-2-266-26391-7

À ma mère

1

Comme tous les lundis, je l'attends. Comme tous les lundis, à midi trente précise, il pousse la porte du restaurant pour aller s'installer à sa place habituelle. Il n'a plus besoin de réserver, sa table est toujours prête. Je sais d'avance ce qu'il va commander, mais je devine que, malgré tout, il aime consulter la carte, peut-être pour se surprendre lui-même.

Il s'assoit face à la salle encore vide et silencieuse. Il doit aimer tout comme moi ce moment de calme avant l'arrivée bruyante des autres clients.

Il reste un long moment les yeux dans le vague, sa tête légèrement penchée sur le côté. Je l'observe tout en dressant les dernières tables. À quoi peut penser cet homme dont je ne sais rien, sinon son goût prononcé pour les poireaux vinaigrette et le bœuf carottes ?

Il y a certaines personnes à qui on peut difficilement donner un âge. Elles sont comme des photos que le temps a figées et dont on ne retrouve plus la date. Seuls leurs yeux parfois les trahissent, et l'on devine que les années de leur jeunesse sont bien loin. Je n'ai jamais su donner un âge précis à mon client de la table dix et, à travers ses lunettes fumées, il m'a toujours été impossible de lire son regard.

J'aime les gens, m'imaginer leur vie. À travailler dans un restaurant, on peut les observer, les écouter sans qu'ils s'en aperçoivent. Ils ne se doutent pas que la petite serveuse qui s'occupe d'eux tous les midis en connaît parfois plus sur eux que les membres de leur propre famille. À la manière dont ils passent la porte, dont ils commandent un plat ou tiennent leurs couverts, ils dévoilent une partie d'eux-mêmes. Je ne les juge pas.

De tous je peux raconter une histoire, un pan de leur vie ; Françoise qui tient le cinéma de quartier sur le même trottoir que le restau et qui, presque chaque soir, vient dîner avec un homme différent pour oublier qu'elle a passé la cinquantaine et qu'elle n'aura jamais d'enfant. Lorsqu'elle est seule, elle boit jusqu'à oublier son nom, au point que je dois souvent la raccompagner jusqu'à la porte de son appartement. Il y a Monsieur Martin, le libraire. Un vieux garçon qui, rarement, éclaire sa vie d'un sourire et qui, lorsqu'il daigne nous parler, nous tient toujours le même discours sur les jeunes qui ne lisent plus. Mais de *lui*, je ne sais rien...

Jamais il n'est venu accompagné. Son portable, s'il en a un, n'a jamais sonné. Je ne connais même pas son nom, il paie toujours en liquide. Il a une voix douce, fatiguée, et son dos est légèrement voûté, comme portant le poids d'un chagrin trop lourd. Un jour, je me suis amusée à lui imaginer un prénom pour qu'il me soit plus proche, plus familier. Je ne sais pas pourquoi, mais c'est le prénom Henri qui s'est imposé. Monsieur Henri…

Je n'ai jamais pu m'expliquer pourquoi les personnes âgées me touchent autant. Sans doute est-ce parce que je n'ai pas connu mes grands-parents. J'éprouve le besoin de les protéger, de les prendre dans mes bras et, de ma jeunesse, leur faire un barrage au temps qui passe. Toute petite déjà je préférais la compagnie des « grandes personnes ». Leur monde me semblait plus riche et plus proche du mien, ou bien était-ce pour fuir les peurs qui chaque nuit m'assaillaient ? Mes cauchemars étaient pleins de cris et d'ombres aux mains de sang. Ils étaient pires lorsque maman sombrait dans ses délires et que mon père, craignant qu'elle se blesse, la faisait hospitaliser. Pendant ses absences, nous étions lui et moi comme deux orphelins, incapables de prendre soin l'un de l'autre. Je lisais dans ses yeux la crainte que je sois comme elle ; atteinte d'une folie mystérieuse. À cette époque, la peur de perdre ma mère me rongeait le ventre. Et puis avec les années, les crises devinrent plus rares, mais pas mes cauchemars…

Souvent, j'ai eu envie de m'installer face à Henri, et de poser ma main sur la sienne toute ridée, de l'écouter me parler de sa vie, de son enfance, de ses joies, de ses peurs. En retour, il m'écouterait parler des miennes. Et peut-être qu'à lui, j'oserais tout dire, moi qui pour les autres semble si heureuse… Alors il serait ce grand-père dont j'ai toujours rêvé. Sent-il cette tendresse qui me lie à lui ? Je sais bien que non, mais il me plaît de le croire. Mon patron a remarqué

11

l'attention particulière que je prête à Henri, depuis il l'appelle « mon vieil amoureux » ! Ça me fait sourire…

Il y a du monde aujourd'hui, je n'ai pas une minute à moi. Je ne peux donc pas prendre le temps de l'observer.

— Mademoiselle, l'addition s'il vous plaît !
— Mademoiselle, vous pensez aux desserts !
— MADEMOISELLE !

Et pourtant, aujourd'hui, j'aurais aimé l'approcher. Il y a quelque chose de nouveau, quelque chose qui ne s'était jamais produit : il lit. Discrètement, je jette un œil sur l'ouvrage ouvert près de son assiette : les *Illusions perdues*. Comme j'ai aimé ce roman ! C'était l'été de mes quinze ans ; sans doute l'un des plus durs et des plus solitaires de mon adolescence. Encore une fois, maman était retournée à l'hôpital, après une crise plus violente que les autres ; mon père, à bout, et sentant qu'il ne pouvait plus rien pour elle, était parti une dizaine de jours. J'étais seule dans la maison, avec pour uniques sorties les visites à ma mère endormie sur son grand lit blanc. Mes cauchemars redoublèrent d'intensité à ce moment-là… Le roman de Balzac fut ma seule bouffée d'air, j'en avais même recopié certains passages, tant ils m'avaient bouleversée.

Je mettrais ma main au feu que ce n'est pas la première fois qu'il le lit. Il redécouvre cette histoire, ses lèvres en murmurent les mots, et tout son corps semble la ressentir. Les a-t-il, lui aussi, toutes perdues ses illusions ? Lui aussi… Je souris en moi-même chaque fois que je me vois déjà en vieille dame qui connaît tout des noirceurs de la vie. Pourtant, du haut de mes vingt-six ans, il y a tant d'illusions que j'ai perdues pour toujours. Et ce, malgré mon amour débordant pour la vie – du moins en apparence ; car il fallait bien donner le change dans cette maison toujours pleine de douleur et de crainte, je me devais d'apporter, ne serait-ce que pour mon pauvre père, un peu de joie.

Très tôt, trop tôt, j'ai appris à sourire pour cacher mes larmes et j'ai connu ces grands moments de tristesse qui soulèvent le cœur et déchirent le ventre, laissant un goût de cendre et de sang dans la bouche. Comme devant un précipice, où la tentation de se laisser tomber brille comme une aurore. Je suis persuadée que c'est cela que ressentent les personnes qui ont leur vie derrière elles.

Voilà peut-être pourquoi j'aime tant travailler dans un restaurant : on n'y triche pas, on voit les gens tels qu'ils sont. Mes parents n'ont jamais compris ce désir d'être serveuse qui m'habite depuis toujours. Eux trouvent que je manque d'ambition, que c'est « avilissant », même si personne n'emploie jamais ce mot. Comment pourrais-je leur expliquer qu'il y a dans le service quelque chose de respectable, un don de soi qui m'est nécessaire, et qui m'emplit de bonheur ? Il n'y a qu'ici que j'oublie le mal qui me ronge ; cette peur d'avancer dans la vie. Plus tard j'aimerais tenir un lieu bien à moi où, comme les tenancières d'un polar de Simenon, je couverais mes clients comme mes propres enfants. J'aurais de l'embonpoint, le tablier sale et le rire aux lèvres. Voilà mon rêve. Et personne autour de moi ne le comprend. Peut-être que lui…

— Mademoiselle, pourriez-vous m'apporter l'addition s'il vous plaît ?

Je m'approche de lui, il va me donner son argent, et repartir vers sa vie dont je ne sais rien. Mais aujourd'hui, j'ose avant qu'il ne passe la porte un :

— C'est un bien beau livre.

Il se retourne vers moi, ôte ses lunettes, me regarde droit dans les yeux et me sourit. Et dans ce sourire j'entrevois toute la noblesse et la grandeur de ce vieux monsieur. L'envie de le prendre dans mes bras, de me cacher dans les plis de son manteau est telle qu'aucune parole ne sort de ma bouche.

En rentrant chez moi j'ai l'esprit tiraillé entre la joie et une tristesse que je ne m'explique pas.

2

Il fait froid aujourd'hui. Je hais le froid. Il est comme une griffure sur mon vieux corps. Alors je presse le pas vers ce lieu de chaleur qu'est ma cantine du lundi midi. Pour chaque jour de la semaine j'ai mon restaurant, mais je dois avouer que c'est celui-ci que je préfère. Non que la cuisine y soit meilleure, mais l'atmosphère y est la plus douce. Et il y a cette jeune fille qui fait de cet endroit un univers de lumière et de joie. J'aime cet instant où, à peine ai-je poussé la porte, elle est là avec son sourire plein de malice pour me souhaiter la bienvenue. Elle sait que je vais commander la même chose que d'habitude ; mais elle prend malgré tout la peine de m'apporter la carte. Cela me fait sourire.

À l'heure où je m'installe, le restaurant est encore vide. Je profite de cet instant de calme et je l'observe finir son café, accoudée derrière le bar, me regardant à la dérobée. J'ai bien deviné que j'intriguais cette jeune femme, mais je ne comprends pas pourquoi. En quoi un vieux bonhomme peut-il intéresser une jeunette ? Avec tous les clients, elle est aimable, prévenante et souriante. Mais elle y met une tendresse toute particulière lorsqu'il s'agit de moi. Cela me touche même si je prends garde de ne pas le lui montrer. Je ne voudrais pas la gêner. C'est un vrai bonheur de la regarder vivre, évoluer de table en table, tel un feu follet. Et puis, il y a son rire, joyeux et frais. Pourtant, je ne saurais dire pourquoi parfois une vague de tristesse traverse son regard, comme une blessure cachée qui vieillit et durcit son visage. Quel âge peut-elle avoir ? Si j'osais…

Je sais pour l'avoir plusieurs fois entendu qu'elle s'appelle Clara. Ce prénom lui va comme un gant. Il m'inspire l'éclat de rire clair et pur d'un enfant… J'ai souvent eu envie de lui parler, de connaître sa vie, ses rêves. Mais sans doute me prendrait-elle pour un vieux fou qui se mêle de ce qui ne le regarde pas. Et elle aurait raison. Je la devine coquette, mais je ne crois pas qu'elle ait pour autant conscience du regard que les hommes posent sur elle. C'est pour moi un spectacle réjouissant de voir tous ces messieurs tenter désespérément une approche. Ce n'est pas qu'elle soit particulièrement jolie, mais elle a un charme presque envoûtant, un côté femme enfant. Et si j'avais eu quarante ans de moins, j'aurais moi aussi, sans aucun doute, tenté ma chance. Je me demande si elle a un amoureux.

Ce matin, avant de quitter mon petit appartement, j'ai eu envie d'accompagner mon déjeuner d'un livre auquel j'avais pensé toute la nuit. Je me souviens de la première fois où j'ai lu les *Illusions perdues*, c'était en juin 1939. Prémonition ? J'avais dix-neuf ans, et je venais de passer mon bac. Que je n'ai pas eu, et que je n'ai jamais pu repasser, du fait de ce qui suivit… J'étais dans le sud de la France, chez le fils d'un ami de mon père. Il me suffit de fermer les yeux pour revivre ces moments de joie qui furent les plus émouvants de ma vie. Le froid me saisit en sortant. J'entends encore les cigales, nos rires, je sens la chaleur du soleil sur les bords de la Durance. Notre jeunesse était une promesse d'avenir et pour la première fois mon cœur allait s'ouvrir à l'amour aux sons des flonflons d'un bal. Quel bel été…

Les mots de Balzac tout naturellement reprennent leur place dans ma mémoire, comme de vieux amis qui savent mes blessures… Dieu, comme je me sens seul et vieux ! Pourquoi, sur le point de quitter la vie, ai-je tant de mal à supporter cette solitude que j'ai pris tant de soin à entretenir pendant toutes ces années ?

Heureusement que la petite est là. Elle est mon oubli, ma perte de mémoire et m'apporte un vent de jeunesse et de vie qui me donne des frissons. Il faudrait que je songe à venir plus souvent. J'ai toujours cette fâcheuse habitude de prendre les moments de joie que la vie peut m'accorder à dose homéopathique.

Qu'elle est drôle aujourd'hui ! Son manège pour tenter de voir ce que je lis me distrait de ma nostalgie. Je place le livre de façon à lui faciliter la tâche. C'est troublant, elle a la candeur d'Ève et l'impudeur de Coralie[1].

1. Héroïnes des *Illusions perdues. (Note de l'éditeur.)*

17

Au moment où je quittais le restaurant, Clara s'est précipitée pour me tenir la porte et m'a dit d'une voix timide que je ne lui connaissais pas : « C'est un bien beau livre. » Je suis resté coi, ne sachant que répondre. Alors je lui ai souri, et la réponse de son regard fut un rayon de soleil pour mon cœur fatigué.

Décidément cette enfant m'intrigue. En me couchant cette nuit-là, je sais que quelque chose d'indéfinissable nous unit. Et pour le vieil homme sans famille que je suis, elle est désormais la petite-fille que j'aurais dû avoir à mes côtés.

3

D'où me viennent ces larmes d'enfant triste qui m'ont assaillie toute la nuit ? Qu'ai-je lu dans le regard d'Henri qui m'a bouleversée à ce point ? Je me sens terriblement seule ce matin et, à l'idée d'aller au restaurant, je me réfugie un peu plus sous ma couette. Je dois avoir une tête à faire peur et les yeux bouffis. Georges, mon patron, va encore s'amuser de ma figure et faire de bonnes blagues bien grasses avec les cuistots pour savoir si j'ai fait des folies de mon corps et avec qui ! Je suis incapable d'aller travailler ce midi, incapable d'enfiler mon masque de fille heureuse et plus encore incapable de sourire aux bons mots des clients. J'ai envie de hurler.

Au téléphone, Georges n'a pas eu l'air de m'en vouloir : « J'ai remarqué que tu avais mauvaise mine en partant hier soir », m'a-t-il même dit. Seulement, maintenant, je me sens plus seule encore à l'idée de ne voir personne. Dans ces moments-là, j'aimerais pouvoir parler à quelqu'un qui me comprendrait.

Quelqu'un à qui il ne serait pas nécessaire de tout expliquer. Ma mère n'attend que ça. Elle adorerait qu'enfin sa petite fille lui parle de sa vie. Mais maman, si tu voyais ma vie, tu serais effondrée et, telle que je te connais, tu te sentirais responsable de toute cette boue, de cette peine, que je m'inflige. De toute façon, ce que je sais faire de mieux, c'est faire semblant.

Je repense à Henri, à son sourire plein de tendresse, comme si je lui étais chère, comme s'il tenait à moi. Je suis certaine que lui aussi est seul, peut-être plus encore que moi.

Je m'amuse à l'imaginer dans son lit. Un vieux lit en bois qui grince au moindre de ses mouvements. Une tasse de café fumante posée sur la table de nuit, dont l'odeur envahit la chambre. Sur ses genoux dort un chat bougon au poil élimé. Et puis dans ses mains, entre ses doigts usés, les *Illusions perdues*... Je le vois s'adresser à une présence invisible, comme je le fais souvent. Henri, pourquoi êtes-vous si triste ? J'aimerais tant pouvoir vous apaiser, vous offrir mon écoute et mon bras dans les allées d'un jardin. Nous marcherions tous les deux, et les passants se retourneraient pour nous sourire...

Mon grand-père maternel est mort à la fin de la guerre, dans des circonstances assez troubles. On n'en parle pas dans la famille, et les rares questions que j'ai posées à ma mère dans mon enfance n'ont obtenu pour réponse qu'un regard baissé. Aujourd'hui je sais.

J'ai peu à peu tissé le fil d'une histoire qu'on voulait me cacher en assemblant les bribes que je parvenais à arracher. Et lorsque la Seconde Guerre mondiale m'a été enseignée à l'école, j'ai à mon tour baissé les yeux... La femme de cet homme lui a survécu jusqu'à l'année qui précéda ma naissance. Ma mère m'en a toujours parlé avec beaucoup d'amour et de compassion. Je me demande quelle a pu être la vie de cette femme qui portait un nom honteux et qui a dû fuir sa terre pour protéger son enfant. Pourquoi faut-il que les actes d'un homme rejaillissent sur toute sa famille, sur plusieurs générations ? Pourquoi une fille de mon âge doit-elle porter ce fardeau ? Du plus loin que je me souvienne, tous mes cauchemars se nourrissent de cette honte et de cette salope de culpabilité.

De l'autre côté... il n'y a jamais eu personne. Mon père est un enfant de la DDASS. Un petit auquel l'État a trouvé un nom. Le mien... Il s'est inventé sa famille, celle du cœur, peuplée des autres petits garçons de l'orphelinat. Ce qui me vaut une ribambelle de tontons tous plus différents les uns des autres. Grâce à eux, j'ai été la reine du foot dès mon plus jeune âge et celle qui défendait les autres filles des garnements de mon quartier. Mon père n'a jamais cherché à savoir de quel ventre il était sorti. Et à mes demandes répétées, il répondait simplement : « À quoi bon ? » Oui, à quoi bon remuer la merde du passé ? Seulement moi, j'aimerais un jour savoir qui étaient ces gens qui laissèrent ce tout-petit, sans se douter que quelque part, il y a aujourd'hui une jeune femme qui se cherche une identité.

La nuit, lorsque le sommeil ne vient pas, je m'invente une histoire. Toujours la même. Au détour d'une rue, je croise un vieil homme qui arrête sa démarche fatiguée et me regarde venir à lui avec un grand sourire. Nous nous prenons les mains, laissant couler nos larmes. Nous nous sommes reconnus. Et éperdue de bonheur je l'emmène chez moi et annonce à mon père : c'est lui…

C'est un rêve idiot, qui m'aide à m'endormir. Une berceuse. Et que personne ne me demande pourquoi ce n'est jamais ma grand-mère que je m'imagine retrouver, car je ne saurais pas répondre. Il y a bientôt deux ans, j'ai fait d'Henri ce grand-père dont j'ai toujours rêvé. Il a le visage, la voix et l'allure de l'homme qui peuple mes nuits. Même si c'est une relation à sens unique, ça me fait du bien de lui parler dans mes silences. Depuis le premier jour où il a poussé la porte du restaurant, un soupçon de paix s'est installé en moi. Face à lui, j'ai ressenti le désir de me sentir propre, libérée de ma salissure atavique. Mon besoin viscéral de me faire du mal et de prendre des risques, de m'abîmer presque chaque nuit dans des bras inconnus choisis justement parce qu'ils sont ceux d'inconnus, qui ne me connaîtront jamais, semble disparaître petit à petit, comme si mon âme voulait être digne de lui, le mériter.

4

Quelle belle matinée ! Cela faisait longtemps que je ne m'étais pas réveillé aussi joyeux… Est-ce le faible rayon de soleil qui est venu me chatouiller le nez ou les rêves qui ont peuplé ma nuit ? J'ai dû parler dans mon sommeil car Marcus a disparu des couvertures et continue sa nuit sur notre vieux fauteuil. Je me sens jeune ! J'ai envie de chanter, de rire ! Oh oui, rire à gorge déployée. Rire du temps qui passe, rire avec le soleil, rire de la vie… D'ailleurs je ris tellement que Marcus se réveille en sursaut et me regarde avec des yeux de fou. Viens, mon vieux chat, viens rire avec moi !

En ouvrant les rideaux, je suis ébloui par la beauté du ciel sur les toits de Paris. Un jour de printemps gai comme une chanson de Trenet. En pensant à ce vieil ami, j'ai envie d'entendre sa voix. Me voilà tel un vieux pantin, dansant en pyjama dans mon petit salon ! Si quelqu'un me voyait ! Il appellerait sans aucun doute l'hôpital Sainte-Anne… Mais je m'en moque, la musique pénètre mon corps, efface mes douleurs et mes craintes. Je n'ai plus quatre-vingt-cinq ans, mais dix-neuf ! Je ne suis plus dans mon appartement, mais sur le port de Bandol au bal du 14 Juillet… La piquette et les robes des filles me tournent la tête. La lumière des lampions fait briller de mille étoiles les yeux des femmes. Les valses s'enchaînent et nos pieds ne touchent plus le sol. Et tout à coup je la vois venir vers moi… Belle, si belle. J'entends son rire un peu moqueur mais plein de tendresse et je sens mon cœur exploser de bonheur à l'idée de la serrer dans mes bras pour une danse. Je sais que plus tard dans la nuit je l'embrasserai, qu'elle m'aimera aussi fort que je l'aime… Viens… viens valser, ma Marie… Marie…

Vieux con, va ! Tu pleures, et c'est bien fait pour toi ! À quoi bon ressasser ces souvenirs… Et pourtant, c'était si doux de croire, l'espace d'une chanson, que le temps n'avait pas passé, que la guerre n'avait pas éclaté… Et que Marie au petit matin aurait été mienne. Je n'ai plus qu'une seule envie à présent ; me recoucher. Cependant, il fait si beau. Dans ce soleil, je vois un visage, le seul qui pourrait me rendre mon sourire : Clara. Et si, pour une fois, j'envoyais au diable mes vieilles habitudes, et je retournais déjeuner dans mon restaurant du lundi ? Pour la voir, écouter son rire et lui voler un peu de sa jeunesse.

Il semble que les gens aient eu la même envie que moi de sentir la caresse du soleil. Les rues sont pleines de monde et dans le regard des femmes, on pressent l'approche du printemps. Comme il est encore tôt, je me dirige vers le Jardin des Plantes. Je longe le zoo et constate tristement qu'après les loups, les ours ne sont plus là. Ils ont été remplacés par deux adorables bêtes qui ressemblent à des pandas roux et qui dorment du sommeil du juste. Qu'elles sont drôles, de vraies peluches. Un enfant près de moi les observe, les yeux pleins d'envie… Nos regards se croisent et il me sourit.

— Tu crois qu'ils sont à vendre, les nounours ?

— Non, mon petit, mais je suis sûr que ta maman pourra t'en trouver des pareils dans un grand magasin, si tu es sage.

— D'abord, j'suis pas petit, suis grand, j'ai cinq ans !

Le chenapan me tire la langue et détale en courant, ce qui me vaut un joyeux fou rire !

J'accélère le pas vers le restaurant. À l'idée de la surprise qu'éprouvera certainement Clara en me voyant débarquer un mardi, je me sens comme un gamin qui prépare une blague. Mais personne ne se précipite pour m'ouvrir la porte et, à la place du bonjour de ma demoiselle, me parvient la voix légèrement grincheuse du patron. Je m'installe à ma table, avec l'espoir de la voir débouler de la cuisine. Mais rien… Rien que le silence. Je n'ose pas demander au serveur la raison de *son* absence. Je n'ose pas partir non plus. Une chape de plomb me tombe sur les épaules, et les aliments n'ont plus aucune saveur. Je suis triste, déçu, et une colère froide contre moi-même me submerge.

Le restaurant est plein désormais. Plein de bruit,

de voix, mais vide de sa présence. À deux tables de la mienne, une femme demande au patron :

— Clara ne travaille pas aujourd'hui ?

— Non, elle était malade ce matin !

Malade ? Mais hier, elle semblait aller si bien ! Je m'inquiète pour cette enfant comme une grand-mère ! Comment un soleil peut-il être malade ? Pourquoi, Clarinette, as-tu abandonné ton vieux monsieur ?

Je suis las. En quittant le restaurant, le ciel s'est ouvert pour laisser choir une pluie glacée. Au moins a-t-il la politesse de s'accorder à mon humeur… J'ai froid. Mon âme et mon corps tremblent sous les fouets du vent. *Le ciel est bas comme un cercueil*, comme peuvent l'être ceux des plaines de l'Est. L'Est… C'est si loin. Pourtant mon corps n'a pas oublié et chaque année aux premiers jours de l'automne il se met à trembler au souvenir de ses souffrances.

J'ai au cœur comme une blessure ouverte. En franchissant le seuil de mon appartement, j'ai à peine le temps de m'agripper à la table pour ne pas tomber.

Je crois que je suis resté à genoux de longues heures. Quand enfin je redresse la tête, il fait nuit.

Et comme un vieil enfant, je me berce en récitant les vers de Baudelaire : « Sois sage, ô ma Douleur, et tiens-toi plus tranquille… »

Et puis c'est le noir.

5

Il a plu toute la nuit. J'aime le bruit de la pluie sur les toits. En haut de ma tour, je rêve, incurable romantique, que je suis une princesse prisonnière et qu'au matin mon prince sera là. Et je serai sauvée. Sauvée de quoi ? De qui ? De moi-même, très probablement... Il y a bien longtemps que j'ai cessé de croire au prince charmant. Mes rêves sont si loin de ma vie...

Jusqu'à présent je n'ai laissé aucun homme me donner une belle image de moi. Ceux que je vais chercher, je les choisis pour leurs noirceurs et leur capacité à me salir. Dans leurs bras, je me fais chaque fois un peu plus mal, comme si je voulais précipiter ma chute. À l'époque des premiers flirts, je fuyais les garçons trop gentils, pourtant ça ne les décourageait pas. Plus d'un m'a tourné autour, le regard dégoulinant d'amour. Ceux-là, je les haïssais. Je ne pouvais pas m'empêcher d'être méchante ou de les repousser sans ménagement, et très vite cela m'a valu d'être mise de côté. Malgré tout, l'un d'eux a persévéré longtemps ;

je le revois encore posté sous ma fenêtre une nuit entière à espérer que je daigne baisser les yeux sur lui.

Étrangement, le moral est revenu, j'ai hâte de sortir et de voir la vie. Retrouver mes clients et mon tablier. Je cherche à être belle ce matin. Trop souvent, je me fais l'effet d'une montagne russe et je me dis que, peut-être, un jour, il serait judicieux d'aller m'allonger sur le divan d'un psy. Qu'est-ce que je pourrais bien lui raconter à cet inconnu ? Je sais d'où vient mon mal. Même si je ne trouve pas les mots pour le définir, je le connais. Et c'est à une personne chère que j'aimerais me confier, la tête simplement posée sur son épaule. Mais ce matin, je suis gaie et c'est tout naturellement que je mets du Trenet dans mes oreilles et dans celles de mes pauvres voisins qui vont encore s'énerver contre mon mur. Y a-t-il quelque chose de plus joyeux que Charles Trenet ? Il me donne de la force chaque fois que j'ai le cafard. Ses chansons sont des parcelles de bonheur qui m'accompagnent depuis l'enfance. Depuis son départ, il faut bien reconnaître que la vie est moins bleue.

Au restaurant, l'humeur générale n'égale pas la mienne. C'est à peine si Georges me décoche un sourire. Mais j'ai le plaisir de constater auprès des cuistots l'effet de mon joli petit pull qui met en valeur ma poitrine… J'aime bien cette ambiance du matin, où chacun a encore les yeux gonflés de sommeil et où le premier mot n'est prononcé qu'après un bon café.

C'est en chantonnant que je passe le balai et installe les dernières tables. Déjà midi ! Il y a du monde, du bruit, et j'adore ça !

La vie, c'est le vacarme, les gens qui parlent fort et entrechoquent leurs verres à la santé du bonheur. Et aujourd'hui je suis servie avec cette table d'étudiants, qui fêtent la fin de leur concours. Qu'ils sont jeunes ! Peut-être ont-ils mon âge ? Ils sont les derniers clients, ils traînent, rient, commandent café sur café, et cela commence à mettre mon patron de très mauvaise humeur. Ils me font envie, soudain j'aimerais m'asseoir près d'eux, prendre un verre de vin, les écouter parler de leur vie et me donner, ne serait-ce qu'un instant, l'illusion de la légèreté. Je me sens décalée, trop vieille pour avoir des amis de mon âge, je ne saurais pas quoi leur dire.

Pendant ma pause, je vais me promener au Jardin des Plantes. L'air est doux. J'aimerais m'allonger sur la pelouse et me perdre dans les nuages… Naturellement mes pas me mènent vers Alphonse et Antigone qui, comme à leur habitude, dorment à poings fermés. J'ai fait de ces deux pandas roux mes animaux de compagnie. Et plusieurs fois par semaine, je passe les observer, depuis le banc où je m'assois toujours.

La soirée est passée vite. Georges s'est détendu. Tous les cinq autour d'une table, après avoir fait la caisse, nous pouvons enfin nous parler, fumer nos cigarettes et écouter nos musiques. Ce n'est qu'au moment où je passe la porte pour rentrer chez moi que Georges me glisse avec un sourire entendu :

— Ton vieil amoureux est venu hier. Il avait l'air triste de ne pas te voir.

Henri ? Henri est passé un mardi et je n'étais pas là ! Il a dérogé à ses vieilles habitudes pour venir me voir, car je suis sûre que c'était pour moi, et je n'étais pas là ! J'ai préféré me morfondre plutôt que d'avoir la joie de profiter le temps d'un déjeuner de sa présence. Et lui ? Après ce rendez-vous manqué, voudra-t-il revenir ? Et merde !

Cette nuit-là, ma vague noire se réveille plus violente et me pousse dans un bar minable à l'autre bout de Paris où j'ai mes habitudes. Un homme est là, son regard glauque et lubrique s'attarde sur moi, il me reluque ; l'alcool a déjà noyé sa conscience. Il est immonde. Il est à moi. Il ne le sait pas encore, il n'ose l'espérer, mais il va être pour ce soir l'instrument de ma souffrance.

Plus tard, quand la vodka déborde de mes veines, je me retrouve chez lui, dans son petit appartement, aussi crasseux que ses mains posées sur moi. Mon âme se noie dans nos corps pleins de sueur et à mon oreille les grognements de l'homme assèchent mes pensées. Qu'il me fasse ce que l'autre a dû faire à ces femmes avant de les envoyer à la mort. Regarde, grand-père ! J'espère que, là où tu pourris, tu te retournes dans ta tombe. À cet instant, la jeune femme en fleur dont tout un quartier vante la gentillesse et la joie de vivre n'existe plus. Je ne suis plus qu'une poupée de chair que la honte manipule entre ses mains poisseuses.

En quittant l'appartement de l'homme, un jour gris et pluvieux se profile à l'horizon. Le vent vient emmêler un peu plus mes cheveux. Devant une vitrine je m'arrête pour contempler mon image qui me renvoie celle d'un gâchis immense. J'ai froid… Je me vomis.

6

Comme tous les matins, je la guette. C'est presque devenu un rituel au fil des mois et lorsque je la rate je me sens comme un gosse malheureux. Souvent, le soir, quand mon service est terminé, je m'installe sur le trottoir d'en face en fumant une cigarette et je regarde sa fenêtre où je vois passer son ombre, je l'imagine nue. Ce matin, elle portait un nouveau pull, il lui allait bien… Elle doit avoir de jolis seins. C'est drôle, longtemps elle ne m'a fait aucun effet. Moi, j'aime plutôt les filles qui en jettent, qui déposent facilement leur sensualité sur la table. Il faut dire qu'elles sont plutôt nombreuses à venir me titiller au bar, et il est rare que je rentre seul. Elle venait prendre son café avant d'aller bosser, le nez toujours plongé dans un bouquin sans parler à personne. Je ne l'ai jamais vue avec un mec, je ne l'ai jamais vue avec quiconque d'ailleurs. Je ne la voyais pas, elle ne me regardait pas ; et puis, petit à petit, elle a fini par m'intriguer, puis par m'émoustiller. C'est la douceur de sa nuque qui m'a attiré en premier et sa façon de poser sa main sur sa joue lorsque, les yeux dans le vague, elle semblait réfléchir à ce qu'elle venait de lire. J'aime bien son côté sauvage, son air de dire : « Toi, ne viens pas me faire chier ! » Et elle me l'a bien fait comprendre quand j'ai tenté le coup. Je n'ai pourtant pas l'habitude qu'on me rembarre !

Je ne vois vraiment pas comment m'y prendre avec elle. Chaque fois que j'ai risqué une approche, son mépris ou son absence d'intérêt m'ont fait me sentir comme le dernier des cons. Et les femmes qui vous font ressentir cela, j'ai envie… J'ai envie de leur faire perdre leurs airs supérieurs et arrogants, j'ai envie de les avoir et de les jeter. Elles me rappellent ma mère, le regard méprisant, mais justifié, qu'elle posait sur mon père, image vivante de l'échec. Le pauvre gars n'a jamais su être ni patron, ni père, ni mari et encore moins amant. Très jeune, j'ai dû faire le deuil de mon père sans l'enterrer.

Quand on voit le couple qui m'a donné la vie, ce simulacre d'amour, j'ai fait mon choix ! L'amour, la dépendance affective, très peu pour moi, et pourquoi se prendre la tête, quand on peut prendre son pied avec de jolies filles qui n'attendent rien de vous ?

7

Les ombres sont toujours là. Hurlantes. Cette fois, elles viennent me chercher, il est temps, me disent-elles. Je veux les rejoindre, me fondre avec elles. Oui, il est temps… Je souhaite que s'arrête le cauchemar du souvenir, et surtout cette odeur que je traîne avec moi et qui continue de me donner la nausée. Marie est là, je reconnais son regard. La lumière de ses yeux est restée la même, ils m'appellent. Ma Marie, comme tu es pâle et maigre, tes mains tendues vers moi semblent aussi légères que le vent. Et tes cheveux… Marie, mon Dieu, tes si beaux cheveux !

C'est à l'hôpital que je me réveille, les mains tremblantes, et toujours cette odeur de mort et de poussière dans les narines et dans la bouche. Elle est unique cette odeur, jamais – sauf dans mes cauchemars –, je ne l'ai sentie à nouveau. Il n'y a que ceux qui ont fait le grand voyage qui peuvent comprendre de quoi je parle. La lumière me fait mal, tout ce blanc… Depuis quand suis-je ici ? Et Marcus ?

Je tente d'appeler une infirmière, mais ce n'est qu'un chuchotement qui s'échappe de mes lèvres. Je cherche alors nerveusement le bouton d'appel.

Après de longues secondes, une grosse femme en blouse blanche, à l'air pas commode, déboule dans la pièce. Elle m'explique que j'ai fait une crise cardiaque et que je suis ici depuis plusieurs jours. La bougresse ne sait rien de plus et encore moins qui m'a transporté dans cet hôpital. Elle est aimable comme une porte de prison ! À peine quelques minutes après son départ, j'entends dans les couloirs des voix que je connais bien : Roberto et Marta entrent dans la chambre, l'air heureux et soulagé. Ce sont mes gardiens, mes amis. C'est Marta qui, lorsqu'elle est venue comme chaque matin m'apporter mon journal, s'est inquiétée de mon silence inhabituel. Heureusement elle avait la clé ! À mon âge il faut prévoir que ces accidents peuvent arriver. Que je ne m'inquiète surtout pas, ils ont pris Marcus avec eux. C'est bon de les savoir là, à veiller sur moi. Je suis leur vieil enfant.

Le docteur arrive enfin, satisfait de me voir réveillé. Je vais devoir rester encore trois jours dans ce maudit hôpital. Mais en fait, quel jour sommes-nous ? Vendredi ? Mais alors, je ne rentrerai chez moi que lundi soir !

Lundi… À cette pensée mon pauvre cœur fatigué me fait mal. Je sais qu'elle va s'inquiéter de ne pas me voir. Je suis tenté de demander à Roberto de prévenir Clara. Je l'imagine illuminant de sa présence cet endroit sinistre. En mangeant des chocolats nous ferions enfin connaissance. Ma petite fille, comme j'aimerais t'avoir près de moi… Enfin, soyons patients, trois jours, ça passe vite. Et puis mardi je la verrai, et tout cela ne sera qu'un souvenir de plus à ranger loin de ma mémoire.

Je demande à Marta de passer chez moi me prendre quelques livres : un Simenon, un Balzac, un Mauriac. Avec ces vieux amis, le temps passera plus vite. À chaque jour son style et son histoire.

Il fait nuit. Le silence règne. Je suis seul et j'ai froid. J'ai les yeux d'un enfant face à cette solitude. Je rêve de ma mère… Elle caresse doucement mon front en fredonnant, elle me sourit. Puis cette vision disparaît. Je suis dans une grande salle. Blanche comme celle-ci. J'entends des gémissements de douleur près de mon lit. Des ombres passent, courent, appellent. Les infirmières ne savent plus où donner de la tête. Elles n'en croient pas leurs yeux de tant d'horreur. L'une d'elles se penche sur moi et sur son visage je peux lire une compassion bouleversante que je croyais ne plus jamais retrouver sur le visage d'un être humain. Enfin je vois mon corps, décharné, sans poids, sans âme, sans vie… Je suis vivant. J'ai survécu. Et pourtant je suis mort… Plus rien ne sera comment avant. Je comprends que la vie ne sera désormais qu'une mauvaise farce et que, jusqu'à ma fin, je ne serai plus qu'un mort vivant.

Je suis las de faire toujours ce même cauchemar. Usé de ne pouvoir oublier. À tel point que je m'oblige à ne plus dormir puisque le sommeil signifie retomber dans l'horreur... Alors je me force à retrouver les images des jours heureux, ceux où je croyais encore que la vie pouvait être merveilleuse auprès de l'être aimé. Comme tu étais belle et désirable !

Je te revois couchée nue dans le foin cherchant à cacher ton trouble, ton envie, et ta curiosité fébrile de m'avoir contre toi pour la première fois. Je retrouve la sensation brûlante qui parcourut tout mon être lorsque je te pris. Et là, sur ce lit d'hôpital, je suis surpris et ému de sentir mon vieux corps abîmé frissonner de plaisir. Marie, j'aurais tant voulu que nous vieillissions ensemble ! Je sais que même griffée par le temps tu serais restée belle. C'est peut-être cela qui m'est le plus insupportable : devant la promesse de ta beauté, la barbarie humaine t'a fait vieillir d'un seul coup dans des souffrances pires que celles que je connais aujourd'hui. Où est-il, ton si joli corps ? Sous quelle terre ?

Même pas une tombe où aller te pleurer...

Trois jours ! Trois déjeuners à vous attendre, à me jeter comme une folle hors de la cuisine dès que j'entendais s'ouvrir la porte. Je savais pourtant que vous ne viendriez pas. Pourquoi d'ailleurs seriez-vous venu ? Je ne suis que votre petite serveuse du lundi. Une douleur me crispe le corps. Mon instinct me souffle que votre absence, qui les semaines passées m'aurait paru anodine, signifie qu'il est arrivé quelque chose… Ah, cette fâcheuse habitude de s'angoisser à tout bout de champ ! Peut-être êtes-vous simplement parti chez vos enfants. Et pourtant…

Un samedi sur deux, je vais voir mes parents à Antony. Maman m'attend sur le quai du RER comme si j'étais encore une enfant. Alors que je m'apprête à descendre avec tous les autres voyageurs, je suis émue… Depuis quelques années, elle cherche à rattraper le temps perdu ; celui où, prisonnière de ses démons, elle était incapable de s'occuper de moi. Et cette femme qui me sourit avec ses cheveux pâles et son regard plein d'amour, qui s'impatiente de me voir depuis deux semaines, c'est ma maman. Pour la première fois, je prends conscience qu'elle m'est unique. Je n'ai et je n'aurai jamais qu'une mère ! J'éprouve ce que doit éprouver tout enfant lorsqu'il voit ses parents vieillir ; l'envie de les protéger et les garder auprès de soi pour toujours.

Elle ne s'attend pas à me recevoir dans ses bras, moi qui suis toujours si réservée, ni à m'entendre lui murmurer : « Ma maman, ma petite maman, comme je t'aime ! »

Je la sens bouleversée, resserrant plus fort son étreinte au milieu des gens qui nous bousculent.

Dès que nous sommes dans la voiture, l'examen de routine maternel commence. Elle se met à me questionner sur ma vie de jeune femme, mes amis, mes sorties. Elle me trouve lumineuse, est-ce lié à un nouvel amoureux ? Comme chaque fois, je vais être obligée de la décevoir, elle qui aimerait tant me savoir aimée et protégée par un homme. Si elle savait quel rôle jouent les hommes dans ma vie, je crois que plus jamais je n'oserais la regarder dans les yeux. Elle ne comprend pas qu'à mon âge je puisse être encore célibataire. « C'est important, un homme », ne cesse-t-elle de me répéter. Avoir rencontré mon père très jeune lui a donné l'illusion qu'une femme ne peut pas s'accomplir sans un mari. Sans lui, sans doute ne serait-elle plus là.

Nous retrouvons mon père à la maison assis au coin du feu, fumant son cher cigare. Il a vieilli lui aussi... Je viens comme autrefois me blottir dans ses bras et faire mon bébé.

À table, le dîner est plus animé que d'habitude,

une joie nouvelle semble s'être glissée entre nous. Je meurs d'envie de leur parler d'Henri, de leur faire part de mon inquiétude et de cet amour étrange que je lui porte. Je sais d'avance que mon père trouverait ça louche. En digne enfant de la balle, il soupçonnerait le mal dans cette histoire. Comment leur expliquer ce besoin viscéral qui m'habite depuis toujours d'avoir un grand-père ? Nous sommes tous les trois des sans-famille, c'est ainsi que nous nous sommes construits. Mon père trouve cela très bien. Il n'a jamais fait part de ce manque ; pour lui, ceux qui l'ont abandonné ne lui sont rien, sinon des lâches.

Ma chambre de jeune fille n'a pas changé. Toujours la même odeur, les mêmes affiches de cinéma, Gérard Philipe souriant au-dessus de mon lit tel un ange gardien. J'aime m'y réfugier malgré le fantôme de cette adolescente que je ne connais plus. À l'époque, mes rêves étaient autres. Je fantasmais sur des rencontres improbables, des voyages lointains, des baisers fougueux échangés avec mes personnages de roman préférés. Je rêvais du grand amour. Il est loin le temps où le Rescator m'emmenait sur son bateau pour me faire découvrir d'autres horizons. Comme ces histoires que je me racontais le soir pour m'endormir me manquent ! J'ai perdu cette folle imagination qui me donnait le sentiment d'exister…

Le week-end déjà se termine. J'ai hâte de voir filer les heures pour être à demain lundi. Devant la porte du café en bas de chez moi, un groupe de jeunes rient en buvant des verres. Parmi eux, Bastien, le serveur, a fini son service. Nos regards se croisent ; et comme chaque fois qu'il me regarde, je ressens un malaise et de l'agacement. Il me salue. Je ne réponds pas ; ce qui provoque le rire de ses amis.

Face à la moquerie, le prix de ma différence, je me suis blindée, et pourtant, ce soir, elle fait monter en moi une boule de colère. Je dois lutter au fond de mon lit pour qu'elle ne m'envahisse pas. Rester concentrer sur demain. Demain...

Soyez là, ne me faites pas faux bond, Henri !

9

Elle ne me voit pas, je n'existe pas pour elle. Et bizarrement, je n'en suis pas étonné… En l'observant tous ces derniers mois, j'ai deviné qu'elle était différente et que mon charme légendaire de barman qui marche si bien sur les autres filles n'aurait aucun effet. Avec elle, je vais devoir laisser tomber mon masque, et cela me fait peur… Il y a un truc chez elle qui me rend dingue de colère et de désir. Je ne sais pas si c'est son air un peu hautain ou la fragilité qu'elle dégage, qui me donne tour à tour l'envie de me foutre de sa gueule et l'instant d'après de la serrer dans mes bras. Elle semble débarquer d'une autre planète.

La prochaine fois qu'elle viendra boire son café, je me démerderai pour la convaincre d'aller prendre un verre avec moi ; je la séduirai en lui faisant le coup du mec qui est tombé amoureux dès le premier regard. Quand je la sentirai bien accrochée, *bye bye* ! Je refuse de laisser quiconque embellir mon quotidien de sa présence.

10

Je me suis réveillée pleine d'excitation. Tout en prenant une longue douche, je n'ai cessé de me répéter : « Sera-t-il là ? Sera-t-il là ? » Je suis sûre qu'il poussera la porte tout à l'heure, peut-être même sera-t-il en avance ? J'ai tellement hâte !

Comme j'ai un peu de temps devant moi, je m'installe à la terrasse du bistro en bas de la maison pour prendre un café et fumer ma première cigarette au soleil. J'aime ce quartier où l'on a le sentiment d'être dans un Paris qui n'existe plus. Tous mes sens sont en alerte, le printemps n'est plus loin ! Bastien me tourne autour sans en avoir l'air et me fait de l'œil comme à son habitude. Il fait de l'œil à tout ce qui s'apparente à une fille. C'est plus fort que lui. Pour une fois, je ne sais trop pourquoi – mon humeur, sa conversation moins pathétique –, je suis plus réceptive à ses avances, et en partant j'accepte même de prendre un verre avec lui un de ces jours. Qui sait si, sous ces airs de beau gosse qui se la raconte, ne se cache pas un mec bien après tout...

Midi... Midi et quart... Il va bientôt arriver ! Sa table est prête, j'ai même rajouté un petit bouquet de fleurs en tissu que le patron sort quand il veut épater une cliente. Midi trente... Je l'imagine au coin de la rue... Midi quarante... Que fait-il ? Je sors sur le trottoir pour voir si je l'aperçois. Je trépigne, je fais les cent pas ; le soleil ne me réchauffe plus. Treize heures... Il ne viendra plus.

J'ai renversé deux plats et cassé trois verres. Jamais je n'ai fait mon service ainsi. Pour la première fois Georges me passe un savon ! C'est stupide de se mettre dans un état pareil parce qu'un vieux client ne vient pas. Je dois me reprendre, ne pas y penser. Les autres habitués ne comprennent pas ce brusque changement d'humeur. J'ai envie de leur crier d'aller se faire voir ailleurs. Je sens la crise monter, l'angoisse me prend au ventre. Je dois me calmer... Respire, Clara... Respire... Tout va bien. Je refoule mes larmes et « enfile » mon plus beau sourire. Jouer, toujours jouer la comédie ; c'est ce que je sais faire de mieux !

En rentrant chez moi, vers quinze heures, je passe devant le bistro où Bastien termine lui aussi son service. Il me propose d'aller boire un café sur l'île Saint-Louis. Pourquoi pas ? Cela me changera les idées, et puis lorsqu'on est triste c'est toujours agréable d'être courtisée. Aujourd'hui, étonnamment, je n'ai pas envie de me perdre. Simplement envie de ne pas être seule.

Bastien a plus d'un tour dans son sac pour me faire sourire. Il me raconte son arrivée à Paris, il y a trois ans, sa galère pour trouver un job et un studio convenables. Il est tout mon contraire : il aime sortir faire la « teuf » dans les lieux branchés de la capitale et reste bouche bée lorsque je lui demande ce qu'est « Le Baron ». Après notre café nous marchons en silence le long des quais. Je crois que je l'intimide un peu. Il n'a pas l'habitude de rencontrer des filles comme moi, me dit-il. C'est sûr que, comparée aux « meufs » du Baron portant les dernières fringues à la mode et s'extasiant sur le nouveau Beigbeder, je dois détonner !

Je sais bien que je ne suis pas comme les autres filles de mon âge. Et cette façon de m'exprimer comme une « vieille » me fait souvent passer pour une extraterrestre. Bastien tente désespérément de me faire parler de moi, mais pour rien au monde je ne voudrais lui raconter à quoi ma vie ressemble... Je n'ose imaginer sa tête si je lui parlais de cette solitude qui me remplit, de mon besoin animal de m'abîmer pour effacer la tache, de me faire mal au corps et au cœur dans cette recherche perpétuelle de salissure. Pourtant l'envie de le provoquer comme je le fais avec les autres ne se manifeste pas.

Il fait nuit à présent et la pluie se met à tomber tendrement entre nous. L'air de rien, il m'attire à lui pour m'abriter sous son grand manteau. Sentir la chaleur de ce corps me bouleverse plus que je le voudrais. Je suis presque blottie contre son épaule. Je suis déstabilisée par ce sentiment de sécurité que j'éprouve à ses côtés.

Il est presque dix-neuf heures lorsqu'il me raccompagne en bas de chez moi avant de retourner travailler. Je sens son trouble et son hésitation à m'embrasser. À ma grande surprise, il prend ma main, y dépose un long baiser et s'en va sans se retourner.

Je me retrouve là, sous la pluie, avec au creux du ventre un désir inattendu et insatisfait. Depuis combien d'années n'ai-je pas ressenti cela ? Un désir pur, gai, plein d'une sensualité et surtout d'une émotion nouvelles. Une fois dans mon lit, je grogne contre ce bellâtre qui, pour quelques heures, a su si bien me réveiller et me faire oublier ma fatigue, mes angoisses, mon grand-père.

11

Quel con ! Un baisemain… Je lui ai fait un baisemain ! D'habitude, jamais je ne raccompagne une
fille en bas de chez elle sans tenter de l'embrasser ou
de « monter prendre un dernier verre », surtout quand
elle me plaît ! La tête de mes potes s'ils savaient ça !
Je me suis fait prendre à mon propre jeu. Je n'ai plus
envie de jouer. J'étais pourtant bien parti, plutôt sûr
de moi. Qu'est-ce qui m'a pris ? Je ne me reconnais
pas. Je me fais presque peur… Tous mes principes
se sont envolés. J'ai le sentiment d'être un homme
nouveau, de naître une seconde fois.

Lorsque je marchais à ses côtés, j'étais heureux et
troublé par sa voix, son corps, son regard qui parle
plus que ses mots qu'elle semble retenir… Hier je
la trouvais jolie, ce soir je l'ai vue belle. Le vent
quelquefois poussait une mèche de ses cheveux sur
ma joue comme une caresse gonflant mon envie
d'elle. Je rêve d'elle depuis des mois, je pensais la
mettre enfin dans mon lit mais, ce soir, j'ai réalisé
que ce n'est pas ce que je veux, ou plutôt que je
veux plus… Beaucoup plus, un désir d'elle qui va

plus loin. J'ai peur de ne pas être à la hauteur. Je me fais l'impression d'être bien trop jeune pour elle. Elle m'intimide, comme si je n'étais qu'un pauvre gosse idiot et cependant, lorsqu'elle me regarde j'ai le sentiment d'être un géant. Dans ses yeux, on se sent important et minuscule. Comme si une parole de trop me ferait risquer de la perdre…

Après mon service du soir, je rejoins mes potes dans l'un de nos QG dont nous avons fait notre terrain de jeu pour ramener des filles toutes plus belles, plus désirables qu'*elle*. Pourtant, ce soir elles n'éveillent rien en moi, elles sont fades… Pour la première fois, je les vois telles qu'elles ont toujours été : vulgaires, trop maquillées, cherchant dans la drague et l'alcool un moyen de se rassurer. Et je m'aperçois avec rage qu'aucune de ces filles ne peut m'enlever Clara de la tête. En rentrant seul au petit matin, un sentiment de certitude m'emplit, suivi d'un bonheur immense. Je sais…

12

Les jours passés dans ce lit blanc m'ont paru sans fin ! À croire que je ne sais plus me reposer, prendre mon temps. À mon âge, toutes les secondes ont leur importance… Plus je m'approche de la tombe, plus j'ai envie de vivre, moi qui ai passé mes années de jeunesse dans les souvenirs douloureux et dans la haine. Je me souviendrai toujours de cet instant où cette dernière s'est enfin décidée à me quitter. C'était il y a une dizaine d'années, un matin de novembre. Cette haine maladive qui me privait de vie mais qui, avec le temps, était devenue une compagne fidèle m'a fait faux bond sans crier gare… Et je me suis trouvé bête. J'étais libre, mais vieux, trop vieux pour tout recommencer. Cependant, j'ai depuis retrouvé cet amour du bonheur, un rien le fait jaillir. Oh, je ne dis pas que je ne suis pas en proie à de brefs accès de mélancolie et de détresse quand je pense à Marie, mais ils sont moins pénibles et m'assaillent moins longtemps…

Enfin chez moi ! Marcus me fait presque la fête ! Tous les deux sur notre fauteuil, nous sommes heureux de nous retrouver. Je lui raconte ces longs jours loin de chez nous et ma hâte de voir ce lundi se terminer. Demain, je verrai la petite ! Tu as dû m'attendre aujourd'hui, Clarinette... Pardonne-moi d'avoir manqué notre rendez-vous. Dis-moi, Marcus, tu crois qu'elle a seulement remarqué mon absence ? Ne suis-je pas un peu fou de m'imaginer cela ?

Demain, même si les médecins m'ont interdit de quitter le lit avant une semaine, j'aurai la force d'affronter la fatigue pour voir le sourire de Clara. Je ne sais pas pourquoi je m'accroche à cette enfant comme à une planche de salut, comme à la dernière joie qui me reste... Qu'avons-nous à nous dire, tous les deux ? Qu'ai-je à lui apporter, moi, vieux déporté sans famille, avant de quitter cette terre ? Je l'imagine dans ce décor, installée dans ce fauteuil, moi dans mon lit écoutant du Chopin ou chantant du Trenet...

J'ai rêvé d'elle, cette nuit. Nous marchions dans une forêt très claire et très belle. Je m'appuyais sur son bras et sa tête était posée sur mon épaule. Je n'entendais pas ce qu'elle me disait, mais j'étais heureux. Plus loin il y avait un lac immense avec, à l'horizon, de pâles maisons d'où nous parvenait une douce musique. J'ai proposé à Clara d'aller découvrir ce qui, de l'autre côté, m'attirait irrésistiblement. Elle m'a souri, serré très fort dans ses bras et m'a fait signe d'y aller. J'ai compris que je devais accomplir cette traversée seul, et que nous ne nous reverrions plus. Arrivé au milieu du lac, je ne sentais plus aucune douleur et j'ai vu dans l'eau le reflet de mon visage : le visage plein de lumière que j'avais à vingt ans.

À mon réveil je suis apaisé. J'ai acquis la conviction qu'aujourd'hui Clara et moi allons enfin faire connaissance. Je me prépare comme pour un rendez-vous galant. Au coin de la rue, j'achète un bouquet de violettes, les premières depuis Marie…

À midi trente, je pousse la porte du restaurant… Je vois mon enfant, seule à une table, le visage entre ses mains, elle semble épuisée et perdue dans ses pensées. À mon pas, elle relève la tête. Comment décrire tous les sentiments que j'y vois passer ? Je suis bouleversé. Nous nous regardons intensément, un sourire de lumière aux lèvres. Ce doit être cela qu'on appelle un coup de foudre.

Ce moment magique est brisé par l'entrée du patron qui lance dans un rire : « Ah Monsieur, enfin ! Clara n'était plus bonne à rien durant votre absence ! Allez ma belle, au travail ! » Le rire de Clara me donne des frissons.

Je m'installe à ma table et, pour une fois, je commande une entrecôte bien rouge, ce qui fait sourire ma petite.

13

La viande rouge est délicieuse et, sous le regard heureux de Clara, je me sens revivre. Lorsqu'elle vient prendre la commande de mon dessert, elle me demande :

— Vous allez bien ? Je me suis inquiétée de ne pas vous voir, hier.

Je le savais ! Mon cœur sentait bien que je ne lui étais pas indifférent, qu'il y avait entre nous quelque chose d'unique.

— Croyez bien, Clara, que je suis désolé de vous avoir donné de l'inquiétude. Je suis content d'être de retour.

Elle rit et, les yeux pleins de malice, me dit que le patron, ou plutôt la serveuse seraient heureux de m'offrir un café gourmand.

Je prends tout mon temps aujourd'hui, je veux pouvoir l'observer, l'écouter, lui parler. Quand je pense que j'ai failli ne jamais la revoir, partir sans avoir pu la connaître ! Merci Marie, je sais que je te dois cela. Tu n'as pas voulu me reprendre avant que je découvre le bonheur d'être père, toi qui connus

pendant si peu de temps celui d'être mère. Je me souviens de la joie nouvelle et merveilleuse qui m'envahit
lorsque tu m'annonças que tu attendais un enfant. Je
me rappelle la peur qui me réveillait la nuit quand
je pensais au monde dans lequel il allait naître. Un
monde de « sueur, de larmes, et de sang ». Ne pas y
songer… Pas aujourd'hui… Pas maintenant. Clara est
si jolie, ne gâchons pas cela avec de tristes souvenirs.

Les derniers clients viennent de partir. Je suis seul et
j'attends que la petite finisse de tout remettre en ordre.
Sans s'être rien dit, nous savons l'un comme l'autre
que nous allons avoir notre premier rendez-vous. Le
patron, plus fin qu'il en a l'air, lui dit avec un clin
d'œil qu'il terminera lui-même. Brave homme ! Clara
est désormais devant moi, son manteau sur le dos et
son bonnet rouge vissé sur la tête.

— Accepteriez-vous de venir vous promener avec
moi au Jardin des Plantes ?

Et comment ! Dans la rue, naturellement nous
nous prenons le bras, comme dans mon rêve. Nous
marchons jusqu'au jardin sans échanger une parole.
Nous sommes bien, heureux et timides. Installés sur
un banc, c'est elle qui parle la première.

Jusqu'à la tombée du jour nous restons là, à discu-
ter, à rire et à chanter du Trenet comme si nos retrouvailles étaient un rituel. C'est mon plus bel après-midi
depuis bien longtemps. Cette enfant me bouleverse,
elle est unique, presque d'une époque qui n'existe
plus. Elle est pleine de vie, cependant la tristesse que
j'avais cru déceler chez elle est bien réelle, je n'ose
pas encore lui en demander la raison. Peut-être ne la
connaît-elle pas elle-même.

Je l'écoute avec délices me raconter sa vie de jeune femme, ses parents qu'elle aime tant mais qui ne la comprennent pas, son amour pour son métier, son rêve d'avoir plus tard un petit restaurant bien à elle, ses lectures. Nous partageons la même passion pour Alexandre Dumas et sommes d'accord pour reconnaître que si *Le Comte de Monte-Cristo* est un chef-d'œuvre, le plus émouvant est *Le Vicomte de Bragelonne* où l'on pleure à la fin d'avoir perdu ces quatre amis. Je lui parle peu de moi, bien que je devine sa curiosité. Je lui dis que je vis seul dans un vieil appartement sous les toits acheté il y a une quarantaine d'années. Elle me demande si j'ai des enfants, si j'ai été marié. Que lui répondre ? « Non, Clarinette, je n'ai pas d'enfant ou plutôt je n'en ai plus, il repose certainement quelque part non loin de sa mère sous la terre encore ensanglantée d'Allemagne » ? Ai-je le droit de lui révéler ce lourd secret ? Pas aujourd'hui, il est trop tôt. Nous avons encore le temps.

Sur le chemin du retour, deux vieilles dames assises sur un banc m'interpellent :

— Vous avez une bien jolie petite-fille, Monsieur !

Nous rions tous deux, émus par la même pensée, nous avons enfin trouvé l'un et l'autre ce qui manquait à notre vie, notre bonheur.

En arrivant devant le restaurant où elle doit prendre son service du soir, Clara me serre très fort dans ses bras, puis tout à coup, me regarde et explose de rire.

— Je ne connais même pas votre prénom ! Pour moi, vous êtes Henri. Comment vous appelez-vous ?

Je ris à mon tour, bien qu'Henri soit charmant, je lui apprends que je m'appelle Clément.

Comment décrire le bonheur que j'ai découvert aujourd'hui ? Pour la première fois, je me sens presque entière. Jusqu'à aujourd'hui, j'avais le sentiment que ma vie n'avait pas commencé. J'étais dans l'attente que quelque chose se produise. Une main tendue pour m'extirper de mon trou noir. Ce vieil homme est comme le prince charmant qui réveille la belle d'un long sommeil. Auprès de lui, je sais que je peux cesser de faire semblant.

Bien au chaud sous ma couette, je me repasse le film de cette journée unique. Henri, ou plutôt Clément, ça lui va si bien, enfin près de moi tel que je l'avais imaginé. Ce grand-père dont j'avais rêvé était là, à m'écouter, à me regarder comme la petite-fille qu'il n'avait pas eue.

Le bond que mon cœur a fait lorsqu'il a passé la porte, tenant fièrement entre ses mains son bouquet de violettes ! J'avais si peur qu'il ne revienne jamais. Mais il était là, souriant comme un enfant, fier de sa surprise. J'avais hâte de finir mon service, plus rien n'avait d'importance que cet instant tant attendu.

Ce que j'ai lu cet après-midi dans le regard de Clément posé sur moi, jamais je ne l'avais vu ailleurs. Une tendresse et une pointe de fierté à mon égard qui m'ont donné le sentiment d'être capable de déplacer des montagnes. La façon dont il s'est redressé lorsque les petites dames l'ont complimenté à mon sujet ! Moi aussi j'ai été touchée par cette remarque. Nos cœurs sont de la même famille. Je ne me suis pas trompée.

C'est incroyable à quel point nous avons les mêmes goûts ! Notre amour pour les romans de cape et d'épée, Simenon, et le grand Charles Trenet ! Je n'avais jamais partagé cela avec quiconque. Même mes parents ont toujours considéré bizarrement ces goûts d'un autre temps. Je ne saurais dire d'où ils me viennent, peut-être de ce vieux disque de Piaf que j'ai trouvé à cinq ans dans le grenier de la maison. J'ai tout de suite aimé ces histoires chantées qui, dès les premiers mots, vous font entrer dans un autre univers.

Mon seul regret est qu'il m'ait si peu parlé de lui. Je reste persuadée qu'il renferme de lourds secrets et de terribles peines. Sa voix s'est légèrement voilée lorsqu'il m'a dit ne pas avoir d'enfant. À son visage pourtant marqué par les années, on peut deviner à quel point il a dû être beau et séduisant. N'est-ce pas étrange qu'un tel homme n'ait jamais été marié ? Il m'a surtout parlé de son enfance parisienne et de ses vacances dans le Sud où son père a grandi. J'ai été projetée dans une autre époque, celle de l'avant-guerre, où la vie était encore pleine de promesses. Je l'ai écouté, avec une pointe de jalousie, me raconter la première fois où il a vu Trenet sur scène accompagné de Johnny Hess. Son père était un fou de musique, il l'emmenait partout voir les grandes vedettes – Piaf, Chevalier, Fréhel. Bobino, Le Chat noir et L'ABC n'avaient pas de secret pour lui. Il m'a parlé des nombreux voyages qu'il a faits dans les années soixante pour son travail de représentant d'une petite entreprise de fournitures scolaires. Moi, de mon enfance simple et silencieuse, heureuse tout de même entre deux parents qui laissaient peu de place à l'imprévu. Du besoin d'échapper à la réalité qui m'a prise très jeune. De mon amour pour les spectacles que je créais lorsque tous mes « tontons » se réunissaient à la maison pour l'anniversaire de mon père. Il a compris l'amour que je porte à mon métier, mais aussi la déception de mes parents lorsque je leur ai annoncé ne pas vouloir faire les grandes études dont ils avaient rêvé pour moi.

Nous avons rendez-vous demain pour aller au cinéma Grand Action voir *Les Orgueilleux* d'Yves Allégret.

Je m'endors doucement, le sourire aux lèvres et le cœur plein de joie, après avoir jeté un dernier regard sur le petit bouquet posé près de mon lit dont le parfum léger va accompagner mes rêves. Bonne nuit, grand-père, je vous aime et je sais que tout cela n'est que le début d'une grande histoire.

À demain…

15

Ce matin, un grand soleil règne sur Paris. Petit à petit le printemps reprend ses droits. De la rue Mouffetard les notes d'un orgue de Barbarie montent jusqu'à ma fenêtre chantant un autre temps : « À Paris, quand un amour fleurit ça fait pendant des semaines deux cœurs qui se sourient tout ça parce qu'ils s'aiment, à Paris… » Je suis heureux !

Marta rit en me voyant de si bonne humeur et si plein de santé. Je la fais même danser, ce qui lui délie la langue. Madame Dufour toujours aussi grincheuse et qui sent mauvais, le petit con du troisième avec sa musique trop forte, le jeune couple, si gentil, avec son bébé… J'y serais encore si son mari n'était pas venu la récupérer pour aller faire le marché ! Ah, ces deux-là ! Il faudra que je leur présente la petite ! Et à toi aussi mon vieux chat, je suis sûr que tu vas l'adorer.

J'imagine qu'elle dort encore… Ou peut-être est-elle déjà en train de prendre son café debout face à sa fenêtre, regardant les passants ? Elle m'a confié qu'elle pouvait rester des heures à observer l'activité de la rue, à imaginer la vie des gens. Aimera-t-elle mon chez-moi ?

Je parcours des yeux mon appartement qui se résume à deux petites pièces… Il faudra que je demande à Marta de m'aider à ranger ! Toutes ces vieilles choses que je conserve sans raison, tous ces livres… Mes chers amis, je suis heureux de vous annoncer que je vous ai trouvé une nouvelle famille ! Il y a quelques jours encore, je vous regardais avec angoisse à l'idée qu'après ma mort vous soyez dispersés, vous qui avez accompagné mes longues nuits solitaires. Aujourd'hui je sais que Clara vous prendra auprès d'elle, et qu'à travers vous c'est un peu de moi qui restera. Je feuillette avec une émotion toujours nouvelle mon édition originale des *Châtiments* sur laquelle le poète a tracé de sa main quelques mots. Sentir entre mes doigts ce livre qu'Hugo a touché… J'en ai des frissons ! Et si je l'offrais à Clara ? Ne serait-ce pas un beau cadeau pour inaugurer cette amitié naissante ? Ce n'est pas dans la tombe que j'aurai le plaisir de voir ses yeux briller en découvrant cette merveille…

Je suis en avance devant le cinéma. Je veux la voir arriver de loin pour sentir mon vieux cœur bondir de joie. Enfin, la voilà ! Elle est drôlement jolie. Elle semble si heureuse, elle aussi, de me retrouver ! C'est elle qui a choisi le film. Elle dit que Gérard Philipe y joue son plus beau rôle. Comme il est étrange et émouvant de l'entendre me parler des héros de ma jeunesse comme s'ils faisaient partie de la sienne.

Après la séance, nous nous installons bien au

chaud dans un café pour boire un chocolat. Je lui parle de mon rêve d'adolescent d'être comédien et des quelques pièces que j'ai jouées avec des copains. Bien sûr, elle me demande pourquoi je n'ai pas persisté... Je ne trouve à lui répondre que :

— La guerre a éclaté...

Un silence s'installe entre nous. Et, chose très étonnante, c'est comme si elle savait de quoi je veux parler, comme si elle aussi avait vu ses rêves brisés par la guerre...

C'est le moment que je choisis pour lui offrir le livre. Sa joie est telle qu'elle en a les larmes aux yeux.

— C'est le plus beau cadeau qu'on m'ait jamais fait.

Je lui demande si elle connaît ce recueil et, à ma grande surprise, elle me répond :

— « *Il neigeait. On était vaincu par sa conquête. Pour la première fois, l'aigle baissait la tête. Sombres jours ! L'empereur revenait lentement, laissant derrière lui brûler Moscou fumant.* »

Ma petite. C'est toi mon plus beau cadeau ! En rentrant chez moi, je suis un autre homme. Je suis enfin en paix. Une petite voix me dit que les jours à venir, bien que peu nombreux, seront les plus tendres de ma vie. Profite, mon vieux !

16

Comment a-t-il pu deviner que *Les Châtiments* étaient mon recueil de poèmes préféré ?

Quelle émotion d'avoir ce livre entre mes mains ! Le monde n'existe plus, nous sommes dans un autre temps, perdus dans une joie et des souvenirs communs. Il faudra qu'un jour je lui parle de la guerre et du poids que je porte… Je sais qu'il y viendra à son tour. Ses silences sont chargés de souvenirs dont il n'a semble-t-il jamais parlé. Peut-être l'aiderai-je à se libérer… Ou bien ce sera lui qui ouvrira ma cage et me donnera l'absolution.

Cette journée est aussi parfaite que la précédente. J'aime pouvoir lui parler de l'admiration que je porte à Gérard Philipe, si sensuel dans ce film. Il me raconte sa stupeur émerveillée lorsqu'il l'a vu sur scène dans *Le Prince de Hombourg* et *Le Cid*. Il semble comprendre cet amour du passé qui m'habite lorsque je lui explique mon sentiment de décalage avec les gens de mon âge. Je n'arrive pas à m'ancrer dans mon temps ; mon époque ne me parle pas, ne me transporte pas. Sans doute est-ce ma faute si je n'ai jamais su créer des liens d'amitié. Sans doute étais-je trop sauvage et peu souriante. Cela remonte au collège... J'étais celle du fond de la classe, celle qu'on n'invitait jamais aux boums, celle qu'on bousculait dans les couloirs, celle surtout qui a vomi en plein cours d'histoire lorsque le prof nous a projeté un film sur l'Holocauste. Combien de fois ai-je entendu rire dans mon dos !

Je lui fais me promettre de m'emmener chez lui pour me montrer des photos de quand il était jeune. Je veux tout savoir de lui ! Pouvoir le faire mien.

Je rentre chez moi la tête dans les étoiles. J'ai envie de rire, de danser et de sentir le regard de Bastien se poser sur moi. Depuis notre escapade sur l'île Saint-Louis, nous ne nous sommes pas revus. J'ai attendu bêtement qu'il se manifeste. Est-ce à moi de prendre les devants ? Clément m'a donné une force, une légèreté nouvelles et c'est le regard droit et le sourire aux lèvres que je pousse la porte du café. Accoudée au bar, une jeune femme, belle, trop belle, a les yeux plongés dans les siens. Entre eux, la tension sexuelle est palpable, la danse du paon rencontre celle des sept voiles. Je me fige. Bastien se tourne vers moi, et avec un regard sec, dépourvu de tout sentiment, me lance : « On ferme dans cinq minutes ! » Surtout, ne pas lui montrer à quel point il me blesse. Je balance un « au revoir » que j'espère cinglant et fais demi-tour. Dans mon dos, j'entends le rire bête de la fille.

Quelle conne ! Comment ai-je pu me tromper à ce point ? Ça fait mal... Un mal de chien.

Allongée sur mon lit, je tente de me concentrer sur Clément. Que cette merveilleuse journée ne soit pas gâchée par l'attitude minable d'un mec sans épaisseur. Je ferme les yeux, j'entends la voix de mon grand-père, chaude et harmonieuse. Elle me berce, et je me sens doucement glisser vers le sommeil.

Je me réveille en sursaut en pleine nuit avec un goût de sang dans la bouche. En allumant la lumière, je peux voir la marque profonde de mes dents sur ma main ! J'ai dû me mordre dans mon sommeil. Quel cauchemar ai-je pu faire ? Je me lève et tout me revient…

J'étais dans le sous-sol d'une vieille maison, cela ressemblait à des caves. Je marchais en silence comme si personne ne devait me voir ni m'entendre. J'avais peur et pourtant je sentais en moi un grand courage. Derrière moi marchaient des ombres, des enfants portant l'étoile jaune, aux visages terrifiés. Je me retournais souvent pour leur faire signe de se taire ou de s'arrêter. Nous avons monté un long escalier pour arriver dans une pièce immense couverte de drapeaux nazis. Je savais que nous devions sortir au plus vite de cette maison sinon nous mourrions. Soudain, j'ai entendu des cris, couverts par des voix allemandes. J'ai fait signe aux enfants de m'attendre et, à pas de loup, je me suis approchée d'une porte entrouverte. Un jeune homme était attaché à une chaise, le torse et le visage couverts de sang tandis que des SS tournaient autour de lui telles des bêtes affamées. À l'angoisse qui me ravageait le ventre, j'ai su que je connaissais cet homme. Il a tourné la tête de mon côté et m'a vue. Dans son regard j'ai lu une supplique et dans mon rêve je savais ce qu'elle voulait dire : *Sauve les enfants !* J'ai couru les rejoindre et nous sommes sortis de la maison pour nous enfoncer dans une forêt très noire. Tout en courant, je me mordais la main pour ne pas hurler de douleur. Cet homme, c'était Clément...

Aujourd'hui, il s'est remis à pleuvoir. Clara et moi n'avons pas rendez-vous puisqu'elle travaille toute la journée. Je n'ai pas le courage de sortir, je me sens fatigué et une légère douleur au niveau du cœur me rappelle mon récent séjour à l'hôpital. Je suis assis dans mon fauteuil face à la fenêtre à regarder la pluie tomber. Marius sur mes genoux me tient chaud. Je pense à Marie, à la vie que nous aurions eue si elle avait survécu. À tous ces rêves que nous nourrissions. Je revois avec netteté la dernière fois que je l'ai prise dans mes bras. C'était un jour comme celui-ci, gris et froid. Elle avait son châle bleu sur les épaules, les mains posées sur son ventre comme si elle cherchait à réchauffer notre enfant. Je me rappelle l'inquiétude de son regard. Pour la première fois, elle, si courageuse, m'a avoué qu'elle avait peur, qu'elle avait fait un rêve la nuit précédente et, d'une petite voix que je ne lui connaissais pas, elle m'a demandé de rester, de ne pas partir retrouver les autres. Je ne me suis jamais pardonné mon rire face à sa peur que je jugeais absurde. J'avais vingt-deux ans et j'étais certain que la mort, qui pourtant rôdait partout, ne pouvait nous atteindre. Son instinct de mère savait. En passant la porte je me suis retourné pour lui envoyer un baiser, le dernier. Je ne lui ai même pas dit que je l'aimais. J'étais son homme, elle portait mon enfant et je n'ai pas su les protéger. Si j'étais resté comme elle me l'avait demandé...

Le reste est un vaste cauchemar dont je n'ai que des bribes. Je suis allé avec les autres poser des explosifs sur une voie ferrée. Je me rappelle notre joie lorsque le train a déraillé et cette force haineuse qui nous animait en attaquant le convoi. Je nous revois bien plus tard dans la journée, tous réunis autour du poste à attendre les nouvelles consignes dans une vieille ferme perdue dans la forêt. Nous étions si insouciants, si heureux d'avoir réussi notre coup ! Puis tout a basculé.

Paulo déboulant comme une tornade pour nous crier que la milice serait là d'une minute à l'autre, qu'elle était déjà passée au village et qu'il y avait eu de nombreuses arrestations... Je ne peux oublier son regard lorsqu'il a croisé le mien. J'étais comme pétrifié au milieu de cette pièce où tous mes camarades s'agitaient, pris de panique, cherchant à brûler tout ce qui pouvait compromettre les autres maquis. Puis l'attaque, fulgurante, terrible. Nous étions piégés, encerclés. Le premier à tomber, ç'a été Paulo justement, le plus jeune d'entre nous. Il est mort dans mes bras et ses derniers mots ont confirmé ma terreur : Marie avait été arrêtée. Après cela, plus rien ne pouvait m'atteindre. Blessé, j'ai été arrêté, et torturé. De la torture, je garde un souvenir vague. Je me rappelle avoir souffert, mais rien de comparable à l'angoisse et au désespoir qui me tenaillaient le cœur. L'un de mes camarades a parlé… Ç'a été la fin de la souffrance et le début de l'errance. J'ai été envoyé en camp…

À Birkenau j'ai découvert que les terribles rumeurs qui circulaient sur les camps étaient bien en deçà de la réalité. Avant mon transfert, un jeune milicien que j'avais connu au début de la guerre, lorsque les Français étaient encore unis, m'avait appris où Marie avait été envoyée. Il n'avait pas avoué à ses chefs qu'elle était ma femme, sachant très bien qu'ils l'auraient torturée sous mes yeux pour que je parle. Il s'était dit qu'elle aurait plus de chances de s'en sortir si elle était déportée… Ce gosse ne savait-il pas comment finissaient les juifs ? Moi, je savais qu'on ne revenait pas de Ravensbrück. Et pourtant, jusqu'à la fin de la guerre, j'ai gardé ce fol espoir de la revoir vivante. Je rêvais souvent de nos retrouvailles sur le quai d'une gare noire de tous ces revenants. Elle, si belle et heureuse de me présenter notre enfant. À la Libération, j'ai passé des jours et des nuits, comme tant d'autres, devant le Lutetia pour montrer sa photo à ceux qui avaient survécu. Bien des années plus tard, il m'est arrivé de courir après une femme dans la rue, croyant que c'était elle. Il n'est pas de jour où je ne me demande si, pendant quelques heures, j'ai été le père d'un petit garçon ou d'une petite fille qui aurait eu les yeux de sa mère.

– 18 –

Le printemps est là ! Clément et moi allons pouvoir faire ce petit voyage que nous prévoyons depuis
presque un mois. Clément rêve de revoir les paysages
de son adolescence. J'ai hâte de le retrouver au restaurant pour lui annoncer que nous pouvons prendre nos
billets. Mon patron m'a accordé cinq jours de congé.
Je suis enthousiaste, il faut dire que je n'ai jamais vu
la Méditerranée. Lorsqu'il m'en parle j'entends les
cigales et le bruit du vent dans les pins. Parfois, sa
voix se brise… et un silence auquel je suis étrangère
s'installe entre nous. Je devine que c'est là-bas qu'il
va enfin me dévoiler son passé.

Je n'ai pas osé remettre les pieds dans le café d'en
bas, de peur de voir Bastien et de ne savoir que lui
dire. Pourquoi suis-je incapable de vivre simplement,
de me laisser aller, de profiter de ma jeunesse ? Pour
une fois que quelque chose pourrait être beau et que
j'ai envie d'essayer de voir à quoi peut ressembler le
bonheur. Je fais tous les jours un grand détour pour
ne pas passer devant sa terrasse. Souvent je m'arrête

de l'autre côté de la rue pour l'observer, je lui trouve plein de charme, mais j'ai peur. Peur de quoi ?

J'en ai parlé à Clément, et ses paroles m'ont fait du bien. Avec lui, je n'ai pas besoin de tout expliquer, de tout décortiquer. Tout est simple. Chacun de ses mots trouve sa place et éclaire un espoir naissant. Clément a fait naître en moi le sentiment d'envie.

L'autre jour, comme deux gamins, nous nous sommes cachés pour observer Bastien. J'avais hâte de savoir ce que Clément en penserait. Il l'a trouvé « bel homme » bien que les cent mètres qui nous séparaient ne lui aient pas vraiment permis de s'en faire une idée précise.

Il fait doux aujourd'hui, tout semble reprendre vie. Même Monsieur Jacques, le voisin grincheux du deuxième, me sourit en me croisant dans les escaliers. Dans la rue, les femmes sont ravissantes, légères, et certaines laissent voir leurs jambes. En arrivant au restaurant, l'ambiance est à l'image de celle du dehors. Le patron a mis du Johnny et chante à tue-tête, se croyant sur la scène du Stade de France. Dans la cuisine, les cuistots reprennent en chœur « Gabrielle » et me font danser quelque chose qui ressemble à un rock. Avec tout ça, je n'ai plus beaucoup de temps pour dresser les tables et passer le balai. Je n'entends pas Clément arriver, qui me surprend, une fourchette à la main en guise de micro, hurlant « Que je t'aime ! ». Je lui apporte le menu et lui apprends que nous pouvons partir la semaine prochaine. J'ai devant moi, à cet instant, un jeune homme de vingt ans plein de projets.

Je n'ai pas le temps de papoter avec lui, le restaurant est bondé et il y fait de plus en plus chaud. J'ai toujours un œil sur Clément, coincé entre deux tables de quatre qui ne se décident pas à partir. Je sais qu'il attend la fin de mon service pour aller acheter les billets. Pour la première fois, je le vois ôter sa veste pour être plus à l'aise, lui qui ne plaisante pas avec l'élégance. Je cours dans tous les sens, de partout on m'appelle. La chaleur devient étouffante. C'est en sortant des cuisines les bras chargés de plats que cela se produit. Clément a remonté les manches de sa chemise, et sur son avant-bras gauche, au milieu de quelques poils grisonnants, des chiffres gravés à jamais. Je sens une chape terrible me tomber sur les épaules. Les plats m'échappent des mains et, dans un silence de mort, tous les regards se posent sur moi. Je suis incapable de bouger et de détacher mes yeux de son bras. Georges accourt pour nettoyer les dégâts, Clément se lève, inquiet de ma pâleur. L'immense sentiment de honte que je connais trop bien me saute au visage. Pour la première fois, j'ai devant moi un homme qui a souffert le plus abject à cause de salauds comme mon grand-père. Que je le veuille ou non, dans mon corps coule le sang d'un criminel. Plus jamais je ne pourrai regarder en face ce vieux monsieur qui porte en lui l'horreur de la déportation. Plus jamais Clément ne me regardera avec cette tendresse infinie lorsqu'il connaîtra la vérité.

Je ne peux pas rester plantée là comme une statue de cire au milieu des clients. Je murmure un pardon qui peut aussi bien s'adresser à Georges qu'à Clément, et telle une folle je fuis le restaurant comme si le diable était à mes trousses.

19

Aujourd'hui aurait dû être un jour plein de joie… En m'annonçant *nos* vacances, elle semblait aussi heureuse que moi, et le printemps était enfin là. À mon arrivée au restaurant, j'ai trouvé la petite chantant joyeusement, belle et fraîche dans sa robe à fleurs qui m'en rappelait une autre. La salle étant plus bondée qu'à l'ordinaire, nous n'avons pu prendre le temps de parler de notre escapade. J'en ai profité pour rêver à tous ces endroits que j'allais retrouver. Plus les minutes passaient, plus une chaleur moite s'emparait du lieu. Assis entre deux tables très bruyantes, dont les conversations n'avaient aucun intérêt, j'étouffais. J'ai hésité à ôter ma veste car cela ne se fait pas dans un lieu public ; j'ai gardé mes habitudes d'un autre temps. Mais comme la toile de ma chemise me collait de plus en plus au corps, je m'y suis résolu. Même en plein été, sous un soleil de plomb, je fais toujours attention à ne pas le dévoiler. Non pas que j'aie honte, bien au contraire, mais j'ai vu trop de regards gênés sur mon matricule… Comment oublier le visage de Clara lorsque ses beaux yeux se sont posés sur mon avant-bras ? J'y ai lu tant de choses, et je n'en ai compris aucune. La petite s'est pétrifiée, incapable de détacher ses yeux de la marque douloureuse. Maladroitement, j'ai fait redescendre la manche de ma chemise comme pour anéantir le sortilège. Mais déjà elle partait, murmurant un pardon dans lequel j'ai deviné de la honte... Qu'avait-il pu se passer en elle pour qu'elle s'échappe ainsi ? Le patron était furieux, j'ai tenté de le calmer et de le convaincre de ne pas la renvoyer.

Une immense tristesse m'a submergé, et dans la rue je me suis retrouvé comme un gosse perdu. Je me suis senti très vieux tout à coup et la marque me brûlait atrocement comme cela n'était pas arrivé depuis longtemps. C'est drôle comme le corps n'oublie pas. La dernière fois que les chiffres ont déchiré ma chair, c'était à l'enterrement d'un ami que j'avais connu dans les camps. Le grand retour, nous l'avions vécu ensemble, pleins de l'espoir naïf de retrouver nos femmes et de nous construire un avenir. Lui non plus n'a jamais pu refaire sa vie et, malgré les années, il n'a pu oublier. Lorsque j'ai appris son suicide, j'ai pensé que la barbarie nazie avait encore remporté une victoire.

Mes pas m'ont mené jusque chez Clara. Je ne savais pas ce que j'allais lui dire, mais il fallait que je la voie, que je comprenne. En montant ses six étages j'ai cru mourir cent fois tant ma poitrine me faisait mal.

— Clara, c'est moi. Ouvre...

Je n'avais plus devant moi la belle jeune femme

que j'avais appris à aimer et connaître, mais une toute petite fille terrorisée. Assis sur son canapé, ses mains tremblantes dans les miennes, j'ai attendu qu'elle me parle. Sans oser me regarder, laissant couler ses larmes, elle m'a raconté le secret qui, depuis toujours, la fait se sentir sale et honteuse.

Devant cette gosse dévastée par l'ombre d'un grand-père collabo, mon cœur a explosé d'amour. Comment cette jeune femme pouvait-elle se sentir responsable d'actes – aussi horribles soient-ils – commis par un aïeul qu'elle n'avait même pas connu ? Face à cette détresse, j'ai réalisé que jamais rien n'effacerait les horreurs commises à cette époque. J'ai éprouvé une peine et une colère immenses. Devant moi, vieux déporté, elle se sentait coupable et indigne. La prenant dans mes bras, je lui ai dit qu'elle n'avait pas le droit de traîner un tel fardeau, de laisser gagner les fantômes. Je lui ai répété combien je l'aimais. De ce jour, « je te veux fière de toi », ai-je ajouté.

En me couchant, j'ai compris pourquoi le destin nous avait mis face à face. Elle est là pour éclairer de sa jeunesse mes derniers élans de vie, et moi pour lui permettre de se pardonner et de s'aimer enfin !

20

Au creux de mon lit, je suis habitée par une paix indéfinissable. Clément m'a, en quelques mots, apporté ce que je cherchais depuis toujours : le repos de l'âme. Je peux enfin abandonner aux ombres du passé la culpabilité d'avoir eu un grand-père qui a fait couler le sang et a sali le mien. Dans son regard où je craignais de lire du mépris, j'ai lu l'amour qu'il me portait. J'ai pour la première fois quelqu'un à qui je peux confier mes cauchemars. Je lui ai raconté ce jour terrible où, à l'âge de sept ans, j'avais demandé à ma mère de me parler de son père.

J'enviais mes camarades de classe lorsqu'ils revenaient de chez leurs grands-parents. Beaucoup avaient la chance d'avoir un grand-père ou une grand-mère qui venaient les chercher à la sortie de l'école, et je m'approchais en silence des couples pleins de tendresse qu'ils formaient, comme pour leur voler un peu de douceur. Je savais depuis toujours que mon père n'avait pas connu ses parents et que la mère de maman était morte peu avant ma naissance, mais jamais je ne l'avais entendue évoquer son père.

Je me souviendrai toujours de ce soir-là. J'avais passé la journée chez une amie et son grand-père nous avait emmenées déjeuner au restaurant. C'était un homme très élégant et très tendre avec les petites filles que nous étions. Il avait à sa veste un drôle de petit bouton rouge et, bien sûr, je n'avais pas pu m'empêcher de lui demander ce que c'était… Avec quelle fierté mon amie m'avait répondu : « C'est parce que papy, il a fait la guerre et que c'est un héros ! » C'était la première fois que j'entendais prononcer le mot « Résistance ».

Pendant des heures, il nous avait raconté la guerre, la faim, le maquis, heureux de répondre à toutes nos questions d'enfants. J'étais rentrée chez moi la tête pleine d'images, certaine que maman me raconterait que mon grand-père aussi avait été un grand résistant. « Dis, maman, ton papa, il a eu aussi la Légion d'honneur après la guerre ? » Avant cette petite phrase innocente, je n'avais jamais vu autant de souffrance sur le visage de ma mère. Elle n'avait pas eu la force de me répondre. Et c'est de la bouche de mon père que j'avais appris la honteuse vérité. Mon grand-père avait été un collaborateur de la première heure et, jusqu'à la fin de la guerre, il n'avait eu de cesse d'appliquer la politique nazie et de grimper les échelons grâce à son antisémitisme. Cela lui avait valu d'être fusillé à la Libération. Pendant de longs mois, sa femme et sa fille avaient dû se cacher, tant leur honte et la haine des autres les poursuivaient. J'avais ce soir-là appris la culpabilité…

Voilà l'histoire que Clément a écoutée sans dire un mot avant de me donner l'absolution. Puis il m'a parlé de tous ces hommes qui, dans l'ombre, s'étaient battus pour l'honneur de leur pays, de tous ceux qui, même par des faits minimes, avaient contribué à la victoire. Oui, il y avait eu des salauds, des monstres, et beaucoup trop pour un pays comme la France qui prône la fraternité. Mais durant ces années terribles, il avait rencontré autant, et peut-être même plus, d'êtres qui, par leur silence, leur hospitalité, leur courage lui avaient permis d'être là aujourd'hui devant moi. Il n'a pas voulu répondre à mes questions concernant sa vie à cette époque, mais il m'a promis de tout me raconter lors de notre voyage. Je l'ai senti fatigué tout à coup, et j'ai eu soudain terriblement peur de le perdre. Je lui ai proposé de le raccompagner. J'ai été surprise de constater qu'il faisait nuit tant les heures que nous venions de vivre avaient passé vite.

Tout en marchant, je lui ai demandé s'il n'avait pas trop honte de la France. Il s'est arrêté brusquement et m'a regardée droit dans les yeux. « Jamais ! Je suis fier d'être français ! La France, comme tout être, peut se montrer décevante, mais sa nature profonde est la grandeur ! » Il a mis tant de flamme dans ces quelques mots que j'ai rougi de ma question.

Et c'est en fredonnant « Douce France » que nous nous sommes quittés en bas de chez lui.

21

« Toute ma vie, je me suis fait une certaine idée de la France… » Les mots du général de Gaulle me reviennent en mémoire. La dernière question de Clara m'a peiné. Mais je sais qu'à la différence de beaucoup elle est capable d'écouter la vérité. Je suis las d'entendre dire partout, et principalement par les jeunes, que la France était un pays de collabos ! C'est une insulte trop grande faite aux hommes de l'ombre qui, pendant quatre années, se sont battus souvent jusqu'à la mort qui, quand elle n'était pas physique, était celle de l'âme…

Nous n'avons pas tous été de grands résistants, loin s'en faut. Mais chaque Français qui n'a pas choisi la facilité de la collaboration a contribué à sauver l'honneur de son pays. Les gens d'aujourd'hui parlent trop aisément de cette période avec toutes leurs certitudes et sans réelle conscience de ce que cela fut pour le peuple français… La faim, la peur, la honte et la colère de voir son sol sali et occupé. Combien y a-t-il eu d'hommes ou de femmes qui, par un simple geste, ou un silence, sauvèrent une vie ? Il n'y a pas eu de recensement pour cela !

Je me souviens d'un vieux fermier dans les environs de Limoges à qui je dois la mienne. J'étais jeune, un chien fou prêt à courir tous les risques. Ce jour-là j'étais poursuivi depuis plusieurs kilomètres par une petite division allemande qui avait déjà abattu l'un de mes camarades. Je suis passé devant une ferme qui semblait être le seul abri possible avant que la route se dégage et que je devienne une cible facile. Dans un coin de l'étable, une échelle permettait de monter aux foins. Je savais que le fermier m'avait vu, mais je n'avais pas d'autre choix que de monter à cette échelle. Avec quelle difficulté, j'y ai hissé mon vélo ! Une fois en haut, j'ai retiré l'échelle et j'ai attendu, le cœur battant. Déjà les motos SS s'arrêtaient devant la maison. À cet instant, le fermier est sorti de chez lui et, de là-haut, j'ai pu le voir s'approcher des Boches. J'étais certain d'être foutu.

Le chef lui a demandé s'il m'avait vu et Alain (j'ai appris son nom plus tard) avec un air d'idiot du village lui a indiqué du doigt un petit chemin de l'autre côté de la route qui s'enfonçait dans les bois. L'Allemand a hésité et avant de remonter sur sa moto lui a crié : « Si tu m'as menti, je reviens et je brûle ta maison ! » Alain a haussé les épaules et est resté un long moment sur le seuil de la porte jusqu'à ce que le bruit des moteurs fasse place au silence. Sans même lever le nez il m'a crié : « Tu dois avoir faim, petit, j'ai de la bonne soupe ! » et il est entré dans sa maison dont il a laissé la porte ouverte. C'est encore tremblant que je suis descendu du grenier et ai pénétré dans la cuisine en le remerciant d'une voix pleine d'émotion de m'avoir sauvé la vie. Alain m'a souri et, me désignant l'assiette, m'a dit d'un ton bourru : « Mange ! Je n'allais pas leur faire ce plaisir ! »

Je suis resté chez lui jusqu'à la tombée de la nuit, et durant ces quelques heures nous avons parlé de poésie. J'étais tombé chez un fermier amoureux de Verlaine, qui me récitait d'une voix profonde *Chanson d'automne*, sans imaginer que trois années plus tard « Les sanglots longs des violons » annonceraient la libération de son pays. Avant de nous quitter, il m'a indiqué la route la plus sûre et m'a donné pour Marie un pot de confiture d'abricots en précisant que son épouse, lorsqu'elle était enceinte, adorait en manger. Cette attention m'a fait monter les larmes aux yeux et je lui ai promis de revenir lui présenter ma femme et mon enfant lorsque la guerre serait terminée.

Pendant les terribles années qui ont suivi j'ai gardé au fond du cœur le souvenir de ce fermier poète à qui je devais la vie. Lorsqu'en 1947 je suis revenu dans la région pour mon travail, j'ai recherché la ferme que j'ai retrouvée enfin, après de nombreux détours, égale à elle-même... Un homme de mon âge m'a ouvert ; à ses yeux, j'ai su qu'il s'agissait du fils d'Alain. Je lui ai raconté mon histoire. Il m'a prié d'entrer et d'une voix sombre m'a raconté comment son père avait trouvé la mort.

Un matin de septembre 1944, il avait tenté de s'opposer au lynchage d'une femme accusée d'avoir couché avec des Allemands. À son tour il avait été roué de coups dont l'un lui avait défoncé la poitrine. Il avait été ramené chez lui dans un état lamentable digne de la Gestapo. Le médecin avait eu beau dire qu'il s'en remettrait, lui était convaincu du contraire. Il n'avait d'ailleurs plus envie de vivre, il avait vu trop de choses « moches », comme il disait. Avant de mourir, il avait eu la joie d'assister au retour de son fils d'Allemagne et de lui transmettre sa ferme.

La peine que j'ai éprouvée était immense... Son fils m'a souri et, sans un mot, a posé devant moi un pot de confiture. Sur l'étiquette on pouvait lire : « Abricots 1944, pour Clément et sa petite famille ».

22

Ça fait des jours qu'elle m'évite, et des nuits que je ne dors plus… Je sais bien que j'ai agi comme un imbécile l'autre soir, lorsqu'elle est passée au bar, mais j'ai voulu me venger de son silence après notre premier rendez-vous. J'ai beau la guetter chaque fois qu'elle sort de chez elle, elle se débrouille toujours pour ne pas passer devant le bistro. J'ai envie de lui hurler d'aller se faire foutre, d'être méchant, de lui balancer qu'elle n'est même pas si jolie pour jouer à ce jeu à la con, alors que je ne le pense pas ! Pour qui se prend-elle ? Elle me rend dingue. Et je n'arrive pas non plus à lui parler. Face à elle, je ne me reconnais plus. Il est beau, le tombeur !

Pourtant, malgré ma colère, tous les matins, j'espère qu'elle viendra vers moi avec ce regard qui crève mes nuits et rend celui des autres femmes transparent. Je me refuse à tomber amoureux d'une telle fille. La mettre dans mon lit, et la jeter après, c'est tout ce qu'elle mérite ! Et aujourd'hui, la voilà qui débarque. Toutes les grandes phrases que j'avais longuement préparées s'évaporent d'un coup, mes sorties

91

cinglantes, je les ravale… Elle ne me laisse pas le temps de répondre à son invitation. Je suis comme un con, avec un grand sourire béat devant l'évidence : je suis amoureux. Je ne sors plus, je ne réponds plus aux invitations nocturnes de mes amis. J'attends qu'elle revienne, cherchant de quelle manière je pourrais rendre ce moment inoubliable. Je deviens niais et romantique et cela ne me met plus en colère, mais me rend heureux. Pour elle, j'ai envie de tout sublimer. Fonder, créer, vivre par et pour elle… L'avenir est tel que jamais je ne l'avais imaginé. Il a son odeur et les courbes de son corps. Je devine qu'avec elle, mes nuits seront toujours nouvelles.

23

Avant d'aller chercher Clément pour partir prendre notre train, j'ai décidé sur un coup de tête de passer voir Bastien. J'ai une boule au ventre, comme si j'allais accomplir quelque chose de trop grand pour moi. Je prends mon courage à deux mains. Absorbé à essuyer des tasses, il ne m'entend pas entrer.

— Salut...

Ma voix sonne mal, je me maudis. J'aime le sourire dans son regard, l'air faussement pas surpris de me voir débarquer à neuf heures du matin avec mon gros sac sur les épaules. Un silence s'installe... Qu'il parle le premier, qu'il vienne vers moi... Je dois me lancer, faire le premier pas.

— Je pars de Paris quelques jours... Tu serais libre pour dîner mercredi prochain ?

Et, sans attendre sa réponse, je le plante là. Dans la rue, je reprends mon souffle, me sentant un peu stupide d'être partie ainsi par peur de devoir essuyer un non. Mais un sentiment nouveau s'insère petit à petit en moi, comme une étincelle de joie et de libération.

Clément, vêtu d'un costume de lin clair comme si les sentiers de Provence s'étendaient déjà devant lui, m'attend sur le trottoir, un vieux chapeau de paille vissé sur la tête. Je souris, émue de le voir si beau. Dans le bus 63 plein de vieilles dames dont les regards se posent sur ce monsieur si chic, je perçois sa fierté de m'avoir assise à ses côtés. Nous sommes comme deux enfants au départ des grandes vacances !

Dans le train, nous parlons peu, absorbés par le paysage si beau qui défile devant nos yeux. À partir d'Avignon, sa main sur la mienne frémit d'impatience. Tout son être me crie combien il est heureux et ému de retrouver le pays de sa jeunesse. Il me montre la Sainte-Victoire dans le lointain et me raconte que le jour de ses dix ans il est monté à son sommet avec son père, il me fait promettre que nous irons la contempler de plus près.

À Toulon, le souffle chaud du Sud me réveille et m'enveloppe le corps : je sais dès cette première rencontre que je suis faite pour cette lumière et ce pays. C'est une évidence ! Clément ne s'en étonne pas.

— Ce pays te ressemble, me souffle-t-il.

Il nous a réservé une belle voiture décapotable dont fièrement je prends le volant. Sur la route de Bandol, il ne cesse de se récrier sur les changements qu'a subis la région en soixante ans… En entrant dans la ville il devient soudainement silencieux et, pour cacher son trouble, met ses lunettes de soleil, mais la crispation de ses mains sur ses genoux et la larme qui glisse le long de sa joue me font comprendre que bientôt je vais découvrir ses blessures.

Sur le port nous nous arrêtons pour manger une glace. Je l'observe à la dérobée. À cet instant, il est si loin de moi que pour rien au monde je n'oserais interrompre le fil de ses souvenirs. Tout à coup, il me prend par la main et m'entraîne vers l'église. La fraîcheur du lieu me saisit. Clément me fait asseoir sur une chaise devant l'autel puis s'installe près de moi. Il ne cherche plus à retenir ses larmes.

— C'est dans cette église que, le 30 septembre 1939, me raconte-t-il, j'ai épousé Marie. Beaucoup de femmes étaient présentes, les hommes, eux, étaient au front...

Jamais je n'ai entendu un homme parler en ces termes, avec cette passion, de la femme de sa vie. Chaque mot est nourri de tant d'amour que je crois les voir tous deux se dire *oui* devant moi. D'un geste tremblant, Clément extirpe de son portefeuille une photo jaunie. Marie et lui se tiennent par la main en haut des marches de cette église. Si beaux et si heureux ! Il me raconte leur rencontre quelques semaines plus tôt lors du bal du 14 Juillet et sa certitude, malgré son jeune âge, en voyant Marie la première fois, qu'il n'en aimerait jamais une autre. Elle était juive et le père de Marie avait insisté pour qu'ils se marient à l'église, espérant que cela la protégerait. Le père Stéphane avait fermé les yeux...

Je comprends à cet instant que Marie était de ceux qui ne sont jamais revenus. Et, brisant le silence, Clément raconte ce qu'il a tu trop longtemps. Ces mots qui l'étouffaient, il me les offre comme un cadeau : la guerre, le maquis, son arrestation, celle de Marie, la torture, les camps et ce retour qu'il n'aurait jamais accompli s'il avait su qu'il ne la retrouverait pas...

En sortant de l'église, le jour a considérablement baissé. Nous allons sur la place où Marie et lui ont dansé pour la première fois et, chose magique, à la terrasse d'un des cafés, un jeune homme joue de l'accordéon. Notre tristesse s'envole ! Et Clément me dit dans un sourire :

— C'est un cadeau de Marie ! M'accordes-tu cette danse ?

Sous le regard ravi des passants nous valsons sur un air de musette.

24

À la gare de Toulon, mon cœur s'est crispé dans ma poitrine. Il était temps que je revienne au pays ! J'ai pris conscience, à cet instant précis, que mes jours étaient comptés et que toute ma vie, depuis mon retour de l'enfer, tendait vers ce moment. Revoir une dernière fois les lieux de mes plus grandes joies au côté de cette enfant. Je suis ému de voir Clara tomber amoureuse de mon pays. La tristesse que j'ai si souvent lue dans ses yeux a disparu et je devine avant elle l'évidence qu'un jour elle viendra s'installer ici. L'odeur si particulière des pins mêlée à celle de la mer nous chatouille délicieusement les narines.

Comme la région a changé ! Dans la voiture, les yeux fermés, j'ai la sensation de retrouver mes dix-neuf ans. Le vent dans mes cheveux blancs est doux comme les mains de Marie. Je la sens près de moi, heureuse de me faire ce dernier cadeau avant de la retrouver sur l'autre rive. Le souvenir de son rire me submerge et celui de son sourire me bouleverse. Arrivés sur le port de Bandol le temps s'arrête. Les images me reviennent avec violence. Qu'il fut riche, cet été 1939 ! L'avenir était plein de promesses. Pour ceux de mon âge les événements en Allemagne semblaient si loin…

Je me revois en ce début de vacances avec tous mes copains, heureux de nous retrouver. Mon meilleur ami, Charles, plus âgé que nous, avait reçu pour ses vingt et un ans une traction. Nous roulions comme des fous sur les routes de campagne, torse nu et cheveux au vent. Charles était le plus séduisant de la bande, le plus impétueux, toutes les filles en perdaient la tête. Il avait le béguin pour Marie, mais il était beau joueur et s'est effacé devant son choix. À l'annonce de la guerre, Charles était exalté et joyeux à l'idée de botter le cul des Boches. Il se voyait déjà revenir au pays en héros ! Il ne cessait de nous dire, à nous qui n'avions pas encore l'âge d'être appelés, que la guerre ne durerait pas plus d'un mois. Son corps fut retrouvé dans les Ardennes en novembre…

Je me souviens du jour où j'appris cette terrible nouvelle, et avec elle du sentiment que mon enfance était morte pour toujours… J'ai pleuré de frustration, d'impuissance dans les bras de Marie qui ne savait plus quoi faire pour apaiser ma peine. J'enrageais de n'avoir pas encore l'âge de m'engager. Je n'avais plus qu'une idée en tête : venger mon ami. L'ironie fut que j'eus vingt ans le 16 juin 1940, et malgré l'angoisse que je pouvais lire dans les yeux de ma femme j'étais heureux d'être enfin en âge d'accomplir mon devoir auprès de mes camarades. Les nouvelles qui nous parvenaient du front étaient désastreuses, plus les jours passaient, plus les nazis gagnaient du terrain. Après notre mariage, Marie et moi étions allés nous installer à Paris chez ses parents, rue du Cardinal-Lemoine. C'est dans ce bel appartement que nous avons écouté, le front courbé de honte et les mâchoires serrées, le discours de Pétain. À la fin, les larmes aux yeux, mon beau-père a demandé à rester seul avec moi. Depuis le 14 juin, jour terrible où nous avions vu les Allemands défiler dans la ville, il ne dormait plus. C'est de sa bouche que j'ai entendu pour la première fois les mots « camp de concentration ». Si les nazis appliquaient leur politique antisémite en France comme en Allemagne, tous les juifs français étaient en sursis.

Pour plus de sécurité, Marie et moi sommes partis pour Limoges le 18 juin en faisant promettre à ses parents de nous rejoindre dès que possible. Dans le train bondé qui filait, nous avons eu la chance de trouver des places assises dans un compartiment. Autour de nous les visages étaient les mêmes, ravagés de tristesse face à la capitulation de la France. En gare de Vierzon, alors que notre train était stoppé depuis plus de deux heures, je suis descendu sur le quai fumer une cigarette à l'air libre. Mon œil fut attiré par un groupe d'hommes réunis autour du chef de gare. Curieux, je me suis approché… Le vieil homme racontait avec des sanglots dans la voix qu'il venait d'entendre à la radio l'appel à la résistance d'un certain de Gaulle. Personne ne savait qui il était, mais la passion avec laquelle le chef de gare nous a rapporté ses mots a changé la vie de beaucoup, et la mienne tout particulièrement. Le futur Général sonnait le temps du combat et sauvait l'honneur de la patrie : « Quoi qu'il arrive, la flamme de la résistance française ne doit pas s'éteindre et ne s'éteindra pas. »

J'allais enfin pouvoir me battre ! En arrivant à Limoges nous avons aussitôt tenté de trouver un moyen de rejoindre l'Angleterre, sans succès...

Un matin, dans l'un des cafés de la place Carnot, j'ai fait la connaissance d'un instituteur portant de grosses lunettes de myope. Mis en confiance je lui ai parlé de mon désir de rejoindre de Gaulle. Après avoir testé ma motivation, il a souri, et m'a dit qu'il était plus important de se battre ici que de l'autre côté de la Manche. Il a pris mon nom et mon adresse et a promis de me donner des nouvelles sous peu. Plus tard, je me rendrais compte de notre double imprudence ! Ou seulement de la mienne, lui sans doute m'avait-il suffisamment jaugé... Au mois d'octobre, j'ai eu la surprise de le trouver à ma porte pour me proposer d'entrer dans ce qu'il appelait fièrement « l'armée de l'ombre ».

Georges Guingouin venait de changer le cours de ma vie, faisant de moi un homme !

25

Du petit balcon de ma chambre qui donne sur le port, je regarde les étoiles se refléter sur la mer. Le bruit léger du vent dans les voiles des bateaux me berce… La journée qui vient de s'écouler a été trop riche en émotions pour que je puisse trouver le sommeil.

Le petit hôtel où Clément nous a réservé deux chambres, près de l'appartement que son père louait chaque été, est charmant. Je m'y sens bien, malgré les images qui me reviennent… J'admire la force de cet homme à être encore en vie aujourd'hui. Lorsque je lui ai demandé s'il avait déjà pensé au suicide après avoir compris qu'il ne reverrait jamais sa femme, il m'a répondu : « Cela aurait été une victoire de plus pour le nazisme… » Et puis il a ajouté dans un sourire que le cadeau de m'avoir connue à la fin de sa vie lui avait fait oublier ces cauchemars qui l'avaient réveillé la nuit pendant toutes ces années.

Après notre danse improvisée, Clément m'a emmenée dîner. Il est parvenu à dénicher un petit restaurant à Sanary qui était autrefois tenu par un ami de son père. Son bonheur de retrouver ce lieu était si grand, si enfantin qu'il m'a fait rire.

Loin des boutiques à touristes, le restaurant à l'ancienne semblait sortir d'un de ces romans que nous adorons. « Ça n'a pas changé ! » s'est-il émerveillé. En poussant la porte, j'ai été saisie par l'atmosphère, c'était le bistro de mes rêves ! Celui dans lequel je m'étais imaginée vivre, travailler. À cette heure, la salle était presque vide. Quelques vieux habitués finissant leur pastis au bar nous ont dévisagés d'un air louche après avoir stoppé net leurs conversations. Des cuisines, un homme d'un certain âge, l'air bourru, est venu à notre rencontre. Lorsqu'il a vu Clément, la stupeur s'est dessinée sur son visage. Les deux hommes sont tombés dans les bras l'un de l'autre. Avec une joie de gosse, Clément m'a présenté Léon, le fils de l'ancien patron qu'il avait connu gamin. « C'est lui qui m'a fait fumer ma première cigarette et appris à danser la musette », a ajouté fièrement le bistrotier.

Jusque tard dans la nuit nous sommes restés tous les trois à boire le fameux rosé de Bandol. Je les écoutais avec délices se remémorer leur jeunesse. Léon a raconté combien il admirait la bande de Clément et combien il aurait donné cher à l'époque pour avoir l'âge de vadrouiller avec eux ! Comme mon grand-père semblait heureux de cette rencontre ! Entendre son rire si jeune… Léon nous a parlé de sa vie ; de son mariage avec Paulette qu'il avait eu la douleur de perdre trop tôt, de son fils qui avait préféré entrer dans la banque plutôt que de reprendre le commerce. De sa tristesse à l'idée qu'un jour trop proche il serait dans l'obligation de vendre son cher bistro à un connard qui en ferait certainement un magasin de vêtements ou une agence immobilière. La Buissonnière restait le dernier lieu authentique de Sanary où les vieux pouvaient retrouver un peu *du temps d'avant*. Il avait depuis longtemps fait le deuil de trouver quelqu'un qui reprenne son bistro en s'engageant à le laisser dans son « jus » d'origine.

À deux heures du matin, nous nous sommes quittés, agréablement gris, non sans avoir promis à Léon de venir prendre le petit déjeuner avec lui.

Une étoile filante ! Je fais le vœu fou d'avoir un jour un lieu comme celui-là rien qu'à moi...

Dans mon lit, mon esprit s'évade à Paris. Je pense à Bastien. Me suis-je définitivement grillée en le plantant ainsi ? Il doit me prendre pour une folle... Je repense à ces heures passées ensemble à marcher sous la pluie, à son regard posé sur moi à l'instant de nous séparer, la douce chaleur et la paix qui m'ont envahie dans ses bras, loin de la caricature qu'il devient derrière son comptoir. Y ai-je lu du désir ? Je rêve de ses mains sur mon corps, de l'odeur de sa peau, de ses mots murmurés à mon oreille... Comme j'aimerais un jour connaître un amour comme celui de Marie et Clément ! Être aimée ainsi par un homme, cela doit être merveilleux ! Je repense aux paroles de ma mère... À cet instant, j'ai envie de l'appeler, de lui parler de Bastien, de lui demander des conseils de femme... Ou simplement de lui dire que je l'aime.

Mon père décroche, la voix ensommeillée, avec

cette pointe d'inquiétude que l'on a lorsque le téléphone nous réveille en pleine nuit.

— Papa, c'est moi… Oui, tout va bien. Passe-moi maman… Maman ? Je voulais juste te dire que je t'aime, que je vous aime… Et puis… Je crois que je suis amoureuse, maman.

26

Je me réveille à l'aube. Mon premier geste est d'aller sur le balcon, nu comme au jour de ma naissance, admirer le rose du ciel. Personne ne peut voir mon vieux corps abîmé s'exhiber ainsi. Ce matin j'ai encore vingt ans ! Sentir les rayons brûlants du soleil sur mes épaules, et surtout les mains de Marie m'enduisant d'huile solaire ; j'avais beau pester contre ces attentions, elles me ravissaient... Je me souviens plus particulièrement d'une aube comme celle-ci où nous avons fait l'amour sur la plage...

Sans faire de bruit je sors de l'hôtel, après avoir glissé un mot sous la porte de Clara pour qu'elle me rejoigne chez Léon. La petite doit dormir comme un loir après cette folle soirée. Tout ce rosé que nous avons bu ! Elle n'est pas près de se lever. Tant mieux, j'ai besoin de rester un peu seul avec mes fantômes...

Déjà, au loin, quelques pêcheurs reviennent vers le port. Mon père à cet instant me manque terriblement.

Il aimait tant venir ici ! Je ferme les yeux et je le revois sur son petit bateau, me montrant fièrement le merlan qu'il avait pêché. J'entends, portée par les vagues, sa voix chantant de vieilles ballades désormais oubliées. Papa... Même à mon âge, on reste un orphelin.

Quel bonheur d'avoir retrouvé Léon ! Je me souviens du petit gars qu'il était, toujours fourré dans nos pattes. Et bavard, tellement bavard ! Il n'a pas changé.

Naturellement mes pas me mènent vers la plage où j'ai appris à nager. Elle est si petite ! Les premiers rayons du soleil commencent à me réchauffer. Je suis bien. En regardant la mer, je suis pris d'une envie folle ; celle de me baigner. Et pourquoi pas ? On n'a qu'une vie et la mienne est sur le point de se terminer... L'eau fraîche sur ma peau me fait un bien fou. Depuis combien de temps n'avais-je pas nagé ? Depuis combien de temps n'avais-je pas été heureux ? Trop longtemps !

Allongé sur le sable, je m'endors un moment et en ouvrant les yeux je constate que d'autres baigneurs ont rejoint ma plage. Il est dix heures, Léon a dû ouvrir. Je suis heureux de le trouver seul car, depuis la veille, j'ai une idée en tête dont je veux lui parler. En attendant la petite, nous prenons un copieux petit déjeuner arrosé au... pastis !

Une heure plus tard, c'est une Clara les yeux encore pleins de sommeil qui s'installe à notre table. J'ai déjà établi le programme de la journée et je propose à Léon de se joindre à nous. Pour une fois, il peut bien prendre une journée de repos !

Après deux heures de trajet, nous arrivons à Aix et filons prendre un café aux Deux Garçons. Je souris intérieurement à l'image que notre groupe peut renvoyer ! Ces deux vieux, en âge d'être en maison de retraite ou au cimetière, et cette jolie jeune femme sur laquelle les regards des serveurs se posent bien souvent. Après avoir déambulé sur le cours Mirabeau nous reprenons la route pour aller contempler la Sainte-Victoire. Malheureusement ni Léon ni moi n'avons la ressource nécessaire pour la gravir à nouveau, et je sens bien que Clara en meurt secrètement d'envie. Je lui fais me promettre qu'un jour elle y retournera avec l'homme qui aura su ravir son cœur. D'ailleurs je me demande si le fameux Bastien n'y est pas parvenu...

Les jours qui suivent sont tout aussi délicieux et heureux. Nous n'avons aucune envie de rentrer ! Mais Clara doit retourner à sa vie, et moi finir la mienne. Avec un sourire complice, Léon et moi nous faisons nos adieux sachant que nous ne nous reverrons pas. La même nostalgie que j'éprouvais gamin à la fin des grandes vacances m'étreint à la gorge.

— Merci, ma Clarinette, pour ces jours merveilleux !

— C'est moi qui te remercie de m'avoir fait découvrir ce pays... Et de m'avoir donné un grand-père, me dit-elle en prenant ma main.

J'en ai les larmes aux yeux.

De retour dans mon appartement, je raconte à Marcus, comme pour les revivre moi-même, ces cinq jours merveilleux. J'ai hâte d'être à demain pour savoir si le garçon a répondu à Clara... Mon Dieu, faites qu'elle soit heureuse ! Faites qu'elle tombe sur un homme bien qui sache l'aimer et la protéger lorsque je ne serai plus là… Laissez-moi encore le temps de régler certaines choses, de m'assurer de son avenir. Je l'aime tant !

27

Jusqu'à la fin de ma vie ces jours resteront gravés dans ma mémoire… Jamais je n'ai été aussi heureuse, et proche de moi-même. Je me suis découverte… Clément a fait naître en moi la femme que trop longtemps j'avais laissée cachée sous ma carapace de petite fille abîmée. Et cette femme me plaît.

Dans le train pour Paris, je regarde Clément dormir contre la fenêtre. Il me semble que jamais je n'ai aimé quelqu'un ainsi. L'évidence que bientôt il ne sera plus là me serre le cœur… Je voudrais pouvoir arrêter le temps. Silencieusement je me mets à pleurer. « Mon Dieu, laissez-le-moi encore un peu… »

Gare de Lyon, Roberto et Marta ont fait à Clément la surprise de venir le chercher et à moi la joie de les connaître enfin. Clément m'a si souvent parlé d'eux… Depuis près de vingt ans, ils sont sa seule famille. Malgré sa fatigue, il nous invite tous les trois au Train bleu. J'ai toujours rêvé d'y dîner. Visiblement Clément y est connu comme le loup blanc. C'est incroyable à quel point cet homme sait se faire aimer !

Marta, qui veut tout savoir de notre escapade,

nous noie de questions. Elle me fait rire. Clément ne mentait pas en disant qu'elle était la plus grande pipelette que la terre ait jamais portée ! Le repas délicieux me permet de prolonger encore un peu les vacances.

Dans la voiture de Roberto, je devine Clément aussi triste que moi à l'instant de nous quitter. J'ai beau savoir que demain il viendra déjeuner, je ne peux m'empêcher de penser que plus jamais nous ne connaîtrons des jours comme ceux-là.

En arrivant devant ma porte, elle est là : la réponse de Bastien dans sa petite enveloppe sera-t-elle la concrétisation de mes rêves ? *Clara, ma Clara… Demain s'il fait beau je t'emmène dîner dans un lieu magique. Je viendrai te chercher à 19 heures en bas de chez toi. J'ai hâte de te voir. B.*

C'est la voisine du dessous qui arrête mes sauts de joie en venant tambouriner à ma porte. Je suis si heureuse ! *Ma Clara… Sa* Clara ! Je ne m'étais donc pas trompée sur ses regards, sur la douceur de sa voix ?

Mais comme toujours un doute affreux s'empare de moi. Et si, pour lui, cela était un jeu ? S'il ne cherchait qu'à passer une nuit avec moi ? Si, alors que pour la première fois j'ose me découvrir, j'étais sur le point de me briser sur le cœur indifférent d'un homme qui prendrait un malin plaisir à jouer avec mes sentiments ?

Tout à coup, je vois mon image dans la glace et j'en reste bouche bée. Je ne reconnais pas cette femme ravissante, au teint légèrement hâlé, dont le regard a pris tant d'assurance. Comment ai-je pu changer en si peu de temps ? Est-ce que le bonheur peut transformer ainsi ? Je fais alors une chose que jamais auparavant je n'ai osé faire, mon corps étant depuis toujours un inconnu, l'objet de ma honte et de ma vengeance dégradante. Je me mets nue au milieu de mon salon devant le grand miroir, et longtemps je reste ainsi à me contempler. Je me trouve belle et désirable... Et, pour la première fois, je devine que je vais laisser un homme toucher celle que je suis vraiment.

*
* *

Huit heures... J'ai deux bonnes heures devant moi avant d'aller travailler. Je décide d'aller marcher sur les quais de l'île Saint-Louis avant d'aller prendre mon café chez Bastien. Assise en bord de Seine, je contemple le soleil réchauffer les tours de Notre-Dame et lui donner vie. Je suis bien... simplement. Les paroles de Clément me reviennent à l'esprit : « Le bonheur, cela se décide, Clara ! Tu le portes en toi comme le plus beau cadeau que la vie t'a donné. C'est à toi de le semer et de le faire pousser. Lorsque tu as trouvé la graine, tu dois la protéger, lui donner un peu d'eau, elle grandira et prendra de la place, tu n'auras alors rien d'autre à faire que jouir de sa beauté. »

J'admire cet homme... Au milieu des pires horreurs, il a su garder cette flamme qui rend son regard si beau. Il m'a donné la foi. Je sais aujourd'hui que, quels que soient les tourments que la vie m'enverra, je saurai rester droite avec au fond de mon cœur ce goût du bonheur qu'il a fait naître en moi.

Bastien se tient sur le seuil du café et me regarde arriver. Il semble me guetter. Que je suis belle dans son regard !

28

J'ai un mal fou à me lever ce matin. Toute la nuit j'ai senti la mort rôder autour de moi. Jusqu'à l'aube j'ai gardé les yeux ouverts en récitant pour me tenir éveillé des vers d'Aragon. Tu ne m'auras pas cette nuit, salope ! J'ai encore des choses à faire ici-bas, et Marie veille sur moi. Mon cœur me fait mal... Je le sens rétrécir un peu plus chaque jour dans ma poitrine. Si le toubib savait à quel point je ne me suis pas ménagé depuis mon séjour à l'hôpital, il serait furieux ! Rien que d'imaginer sa tête... Je l'aime bien, ce type. Il me fait sourire lorsqu'il essaie tant bien que mal de cacher son émotion en prenant ma tension. Ces foutus numéros. Aurai-je le temps d'avoir encore le temps ? Les larmes me montent aux yeux à l'idée de ne plus voir la petite. Vieux con ! Ce n'est pas le moment de pleurnicher !

Après avoir passé plusieurs coups de fil dont un à Léon pour lui dire que nous sommes bien rentrés, je me rase et me fais beau comme un jeune homme pour aller retrouver Clara au restaurant. Pendant l'heure du déjeuner Marta viendra faire un peu de ménage, car cet après-midi mon enfant vient prendre le thé chez moi. Il faut vraiment que je lui présente Marcus.

Le chemin me paraît long… Je dois m'asseoir sur un banc pour reprendre mon souffle. Un jeune homme me demande gentiment si j'ai besoin d'aide.

— Oui, mon gars, j'aurais bien besoin de tes vingt ans !

Cela le fait rire.

Entre deux assiettes, Clara me glisse que Bastien l'emmène dîner ce soir. Elle semble si heureuse, si femme ! Je découvre une nouvelle personne qui m'enchante peut-être plus que l'enfant qu'elle était il y a encore quelques jours.

Sur la route qui nous mène à la maison, elle me parle de lui, de sa lettre et de sa hâte d'être à ce soir. Je suis ému, un peu jaloux aussi, je dois bien l'avouer. Va-t-elle m'abandonner ? Mais devant sa joie, ce sentiment mesquin me fait rougir de honte. Qu'y a-t-il de plus beau qu'une femme amoureuse ? Je retrouve dans son regard la lueur qui illuminait celui de Marie, lorsqu'elle m'avait déclaré sa flamme.

Je n'ai qu'une crainte en poussant ma porte, c'est que Marcus fasse sa mauvaise tête et refuse que Clara l'approche. Mais à peine est-elle assise sur mon vieux fauteuil que le bougre vient ronronner à ses pieds pour finalement venir s'installer sur ses genoux et réclamer des caresses. Dire qu'il m'a fallu dix ans pour obtenir ce traitement de faveur ! Tu vois, mon vieux chat, je ne t'avais pas menti. Tu seras heureux auprès d'elle le jour où je ne serai plus là.

Clara veut voir tous mes albums photo et connaître le nom de chaque visage jauni. Pour la première fois, revoir les images de mon passé me fait du bien. Je suis si heureux de découvrir avec quelle émotion, quelle délicatesse elle prend mes livres entre ses mains. Ils sont mes seuls trésors et, jusqu'à elle, mes seules joies. À mon retour des camps il m'avait fallu me trouver une passion dans laquelle je noierais ma douleur et ma haine. Le souvenir de mon beau-père, Samuel, grand collectionneur, m'avait donné l'envie à mon tour de devenir bibliophile. Tous mes jours de congé je les passais aux Puces et chez les bouquinistes à chercher des éditions originales, si possibles avec envoi. Depuis quelques années, certains libraires, me sachant sans famille et proche du tombeau, me téléphonent régulièrement pour me proposer de racheter ma bibliothèque. Ils peuvent toujours courir !

Il est temps que Clara aille à son rendez-vous. Marcus n'a pas envie de la laisser partir. Moi non plus. Elle y a mis tant de lumière que, même après son départ, mon petit appartement me semble le plus beau des palais. Je n'ai pas faim ce soir. Si même l'appétit me quitte…

Je m'endors sur mon fauteuil bercé par la voix tremblante de Brel : *J'arrive, j'arrive... Mais qu'est-ce que j'aurais bien aimé encore une fois traîner mes os jusqu'au soleil, jusqu'à l'été, jusqu'au printemps... Jusqu'à demain... J'arrive... Bien sûr j'arrive...*

29

Passer la journée chez Clément m'a permis
d'oublier le trac de mon rendez-vous avec Bastien.
J'ai tout de suite aimé ce lieu qui lui ressemble tant
et Monsieur Marcus est le chat le plus adorable du
monde ! Je suis heureuse de connaître enfin son univers, les objets qui ont fait sa vie, ses chers livres
qui ont accompagné ses nuits. La seule ombre à ma
joie est d'avoir trop souvent remarqué certaines cris-
pations de son visage. Il a eu beau me répéter que
tout allait bien, j'ai bien vu qu'il souffrait. Je suis
presque certaine qu'il ne respecte aucune des recom-
mandations du médecin.

Bastien m'attend en bas de chez moi, avec son
sourire diablement séduisant. Cependant, il n'est
plus le même, quelque chose que je ne saurais définir a changé dans son regard, un mélange d'assurance et de timidité... Les mots nous manquent,
comme s'ils étaient incapables d'être plus parlants
que nos corps. Où veut-il m'emmener ? Il me prend

par la main, me demandant si je veux bien aller chez lui. Nous marchons en silence, plus timides que la première fois. Arrivés à son immeuble, il m'entraîne au septième étage. Je suis émue, j'ai peur, et ma main serre un peu plus fort la sienne. Au pied de l'échelle qui mène au toit, je suis prise de panique et, l'espace d'un instant, je ne pense qu'à m'enfuir. Je me sens traquée. Des images sordides des hommes passés me cognent la tête... Je tremble de peur. Je suis incapable de lui dire quoi que ce soit. Mais Bastien est là avec son regard posé sur moi plein de tendresse.

— N'aie pas peur, me souffle-t-il dans le cou.

Ne surtout pas quitter ses yeux ! Eux seuls peuvent me donner la force de surmonter mon angoisse... Un vent chaud qui me réveille s'engouffre par la trappe ouverte sur le toit. Je monte doucement... Le charme est revenu et Paris, brillant de mille feux sous les rayons déclinants du soleil, s'étend à nos pieds. Je suis prise d'un fou rire libérateur. Je suis dans un film, avec tous ces clichés que secrètement, nous les femmes, nous adorons. Bastien a décoré le lieu de bougies et disposé sur une nappe blanche un dîner. Un pique-nique sur les toits de Paris ! C'est tellement romantique que je n'arrive pas à croire que cela soit vrai. Face à mon rire, Bastien a l'air d'un petit garçon peiné d'être moqué :

— J'en ai fait trop ?

— Non, je suis seulement heureuse !

J'ai le souffle court tant mon cœur fait des bonds dans ma poitrine. Ne pas pleurer... Surtout ne pas pleurer même si c'est de bonheur ! La nuit est chaude. Je ferme les yeux... C'est à cet instant que Bastien me prend dans ses bras et m'embrasse. Jamais je n'ai goûté des lèvres aussi douces. Ce baiser me paraît durer un siècle, effaçant d'un coup tous les autres, toutes mes peines, tout ce qui n'a pas été ce moment. Je ne me suis jamais laissé embrasser ainsi. Et lorsque enfin nos lèvres se séparent et que nous nous regardons avec un grand sourire, je sais que plus jamais un autre homme ne posera ses mains sur moi. L'image de Marie et Clément sur les marches de l'église passe un instant dans mon esprit telle une promesse.

Jusque tard dans la nuit, nous nous racontons nos vies. Bastien me parle de son enfance à Bordeaux, de ses parents, de ses sœurs qu'il aime tant. Comment ai-je pu avoir tant d'a priori sur lui ? Depuis deux ans que je le croisais chaque matin, je croyais bêtement avoir affaire à un homme sans consistance et coureur de jupons. Avec un air timide que je ne lui connais pas, il m'avoue être tombé amoureux de moi dès le premier jour... inconsciemment, puis avoir tenté de combattre ce sentiment. C'est drôle comme on peut passer si près du bonheur sans le savoir. À mon tour je lui parle de moi, de mes rêves, de mes lectures, de ma solitude et de Clément. Surtout de Clément. De la place qu'il a prise dans ma vie, de ma peur de le perdre. Je suis certaine qu'ils vont s'entendre à merveille.

Les heures s'écoulent, et le désir que nous avons l'un de l'autre, exacerbé par nos baisers, devient de plus en plus fort.

Nous faisons l'amour comme si c'était la première fois. Jamais je ne me suis abandonnée ainsi dans les bras d'un homme ! Je découvre le plaisir, le bonheur de se donner. Ma chair semble se réveiller. Le souvenir des autres s'efface. Plus jamais sale, plus jamais seule… Et lorsque je m'endors dans ses bras, je sais que j'ai enfin trouvé ma place.

Le lendemain nous offre la joie de passer la journée sous les draps, à rire, et à faire et refaire l'amour. Aucune partie de mon corps n'échappe à ses baisers et à la douceur de ses caresses.

En début de soirée, il me propose d'aller dîner avec quelques-uns de ses amis. Il leur a tant parlé de moi, me dit-il… Sur le chemin je prends le temps d'appeler Clément pour lui dire que tout s'est passé comme dans mes rêves. D'une voix fatiguée, il me dit être heureux pour moi et qu'il souhaite nous inviter à déjeuner dimanche prochain.

Immédiatement, les amis de Bastien me plaisent. Moi qui avais si peur de rencontrer du monde, je suis comme un poisson dans l'eau ! Je ne me reconnais pas dans cette femme rieuse, séduisante et pleine de repartie. Assis un peu plus loin, Bastien m'observe avec, dans le regard, du désir et de la joie à me voir m'intégrer si bien à sa bande. Après avoir dansé jusqu'à l'aube, nous passons la nuit chez moi puis toutes les autres jusqu'au dimanche, nous retrouvant avec délice après nos journées de travail.

Ce midi, je vais enfin présenter Bastien à mon grand-père. Réunir les deux hommes de ma vie.

30

Je suis un autre homme. J'ai eu envie de faire pour Clara ce que pour rien au monde je n'aurais fait, il y a quelques semaines encore, pour une fille. L'idée d'un dîner romantique sur les toits m'est venue comme une évidence lors de mes nuits sans sommeil à penser à elle. Je n'imaginais pas que je pouvais être ce garçon-là ! Avant Clara, je trouvais ça con, le trip romantique...

Lui faire l'amour a été tellement sublime que je n'arrive pas à croire que pendant tant d'années j'ai pu vivre sans connaître une telle confiance et un tel désir.

Je suis un peu jaloux de son Clément. Des secrets et des joies qu'elle partage avec lui. Il semble avoir pris tant de place dans sa vie que je ne peux m'empêcher de trouver ça louche et un peu malsain. J'ai du mal à comprendre le lien si fort qui les unit. Lorsqu'elle me parle de lui, elle est différente, moins fragile. C'est à moi de la protéger aujourd'hui. Elle n'a plus besoin de lui, elle est toute à moi, je n'ai envie de la partager avec personne.

31

La petite est métamorphosée. J'éprouve une joie ultime à l'écouter me parler de Bastien.

Le jeune homme me plaît tout de suite. Il a le regard franc de celui qui s'est fait tout seul, et l'amour qu'il porte à Clara saute aux yeux. Je les emmène déjeuner au Grand Véfour pour immortaliser ce moment. J'aime bien ce vieux restaurant, où tant de grands écrivains sont venus coucher sur le papier leurs histoires. Je fais beaucoup parler Bastien, un peu comme un père qui veut savoir ce que le prétendant de sa fille a dans le ventre. Je me sens enfin en famille. Voir grandir leur bonheur sera ma dernière joie en ce monde. Mourir sur une page d'amour. Une deuxième fois…

Après le déjeuner, nous allons marcher sur les quais, chiner chez les bouquinistes, heureux de me revoir après une si longue absence. Ma fatigue s'est envolée. Bastien et Clara m'insufflent de leur jeunesse. Les heures passent trop vite, et Clara doit aller travailler, n'ayant pu prendre son dimanche soir. En arrivant devant le restaurant, Bastien me propose de me raccompagner chez moi. Le garçon a dû comprendre que je souhaite me retrouver seul avec lui ; plus d'une fois au cours de l'après-midi, j'ai tenté de lui parler dès que Clara s'éloignait de nous pour regarder les livres.

Pendant un moment nous marchons en silence, tous les deux perdus dans nos pensées, certainement dirigées vers Clarinette.

— Vous avez peur que je fasse un jour du mal à Clara, n'est-ce pas ?

— Non, mon garçon, je pense que tu l'aimes sincèrement, mais…

Je lui dis que je sens de jour en jour mes forces de vie m'abandonner et que je veux être certain qu'après mon départ mon enfant sera entre de bonnes mains. Certes je ne la connais pas depuis bien longtemps mais l'amour que j'ai pour elle n'a d'égal que celui que je portais à Marie. Bastien s'arrête, me regarde droit dans les yeux, et me fait la promesse de toujours être auprès d'elle et de l'aimer, car jamais il n'a ressenti pour aucune femme un amour pareil. J'aime ce petit ! Je lui propose de venir prendre un dernier verre chez moi pour fumer un bon cigare. Alors que je m'apprête à lui servir un verre de porto, une douleur plus terrible que les autres me fait lâcher la bouteille. Bastien se lève d'un bond et m'aide à m'allonger, puis se jette sur le téléphone pour appeler le Samu. Dans un ultime effort, je lui fais raccrocher le combiné. Je ne veux pas retourner à l'hôpital. Je sais bien que je n'en sortirai que les pieds devant et je ne veux pour rien au monde voir Clara dans un tel endroit. Après un long moment, je dois lui rappeler qu'il est temps qu'il aille chercher sa belle au restaurant. Avant qu'il passe la porte je lui fais promettre de ne rien lui dire de ce malaise.

La douleur s'en va petit à petit... Elle n'est plus qu'un mauvais souvenir... Je devine que la prochaine attaque me sera fatale. Oh ma vie, comme tu vas me manquer ! Malgré tous tes coups durs je te bénis de m'avoir donné la joie d'avoir une enfant à moi et de la quitter en la sachant heureuse.

32

Je me sens tellement con d'avoir eu toutes ces idées mesquines à propos de Clément. Dès que nos regards se sont croisés, j'ai aimé cet homme et compris le lien qui les unissait. Comme un cadeau, il a déposé Clara entre mes mains et je partage désormais le lourd secret de son départ. Le voir dans mes bras, sentir la douleur parcourir son corps m'a retourné.

Pour la première fois de ma vie, j'ai peur. Peur de ne pas être à la hauteur, peur de la voir souffrir le jour où il ne sera plus là... Il faudra que je sois fort, capable de lui redonner le sourire et l'envie de continuer.

33

Le lendemain, j'ai demandé à Roberto de m'emmener en voiture faire le tour de mes fantômes et de
mes derniers morts-vivants. Sur l'île de la Cité, je
suis descendu dans la crypte m'incliner devant les
noms de tous ceux qui ne sont jamais revenus du
grand voyage et déposer un baiser sur ceux de ma
femme et de mes beaux-parents. « J'arrive », leur ai-je
murmuré. Un instant ma haine, longtemps endormie,
s'est réveillée face à l'horreur qu'avaient subie tous
ces êtres. Je ne comprenais toujours pas comme cela
avait pu arriver. Je retrouvais dans tout mon corps le
plaisir terrible que j'avais éprouvé lorsque la balle était
partie pour aller s'écraser dans la nuque de celui qui
avait dénoncé Marie aux Boches. La nuit était froide
dans les rues de la petite ville, il ne s'attendait pas
à payer un jour. Je l'ai revu à genoux, me suppliant
de l'épargner : « La guerre est finie », n'avait-il cessé
de me répéter. Savait-il, ce salaud, que pour moi elle
ne cesserait jamais ? À l'époque j'aurais aimé tous les
tuer, ces hommes et ces femmes qui avaient vendu leur
âme au diable en dénonçant, par bêtise ou par haine,

des familles entières… Bien que j'aie depuis quelques années fait la paix avec tout cela, je ne regrette pas ce geste. Moi aussi, j'ai tué de sang-froid.

Puis nous sommes allés au cimetière Montparnasse pour que je salue mes camarades, ceux de l'enfance, ceux auprès desquels je m'étais battu, ceux qui avaient souffert avec moi, ceux qui avaient dû vivre après… Et sur la tombe de Claudine qui, pendant des années, m'avait aimé en silence, acceptant de serrer dans ses bras un fantôme d'homme habité par le souvenir d'une autre. Elle était pourtant belle, Claudine, douce et généreuse ; dans une autre vie, sans doute l'aurais-je aimée.

Enfin je suis allé prendre le thé chez mon ami Semprun. Lui aussi s'en va petit à petit. J'espère partir avant lui, ne pas être à son enterrement, mais être là, si le paradis existe, pour l'accueillir les bras ouverts. Nous nous sommes rappelé notre jeunesse, nos combats, avec des larmes et des sourires plein les yeux. Je lui ai parlé de Clara, de son histoire et de la force de vie qu'elle a fait naître en moi. Avec difficulté, il s'est levé pour prendre une édition du *Grand Voyage*, et j'ai été bouleversé de voir sa main tremblante tracer quelques lignes sur la page de garde. « Tiens, c'est pour ta petite… Pour qu'elle se pardonne et qu'elle n'oublie jamais. »

> *À Clara,*
> *L'enfant de cœur de mon ami,*
> *Que la vie te soit belle,*
> *Et que toujours tu gardes la tête haute…*
> Georges Semprun

34

Le mois de mai s'est achevé aussi beau qu'il avait commencé, et celui de juin lui a emboîté le pas. Depuis notre première nuit, Bastien et moi ne nous sommes plus quittés et chaque moment passé dans ses bras est toujours plus délicieux. Le déjeuner où je lui ai présenté Clément a été mémorable ! Ces deux-là sont faits pour s'entendre. Je suis tellement heureuse auprès de mon homme que j'en oublie presque la fatigue qui chaque jour se fait plus présente sur le visage de mon grand-père. Le bonheur est égoïste.

Clément vient de moins en moins souvent au restaurant, et lorsque je passe chez lui après mon service je le trouve trop souvent allongé. Je fais semblant de le croire lorsqu'il prétend que c'est passager... Quelquefois j'ai la surprise de découvrir Bastien en grande conversation avec lui. Alors, telle une petite souris, je reste derrière la porte pour les écouter, heureuse de leur complicité et bouleversée de la tendresse qu'ils ont l'un pour l'autre.

Dimanche, je les ai emmenés tous les deux déjeuner chez mes parents. C'était la première fois que j'invitais un amoureux chez moi, sans parler d'un grand-père ! Ma mère semblait avoir rajeuni de dix ans et mon père est sorti de sa réserve naturelle devant ce vieux monsieur qui a pris une place si importante dans la vie de sa fille. C'est drôle comme tout semble en ordre à présent. Depuis combien de temps n'avais-je pas vu mes parents aussi joyeux ? Clément a raison, il suffit d'un maillon pour changer toute la chaîne ! L'effet papillon de ma joie nouvelle réveille celle de mes parents.

Maman est tombée sous le charme de Bastien et a pleuré de bonheur lorsque je lui ai confié être amoureuse. Pendant près d'une heure elle s'est éclipsée avec Clément. Je ne saurais que bien plus tard ce qu'ils se sont dit. Il l'a fait à son tour parler de son enfance honteuse, et elle a sorti de son portefeuille ce qu'elle n'avait jamais montré à personne, pas même à mon père : un petit papier jauni qu'une main inconnue avait glissé dans son cahier de classe : « Enfant de collabo, on va te faire la peau ! » Lorsqu'ils sont revenus sur la terrasse, il y avait sur le visage de ma mère un apaisement que je n'avais jamais vu. Ce fut une journée magnifique...

*
* *

Les jours passent. Ma vie n'a plus rien à voir avec ce qu'elle était il y a encore quelques semaines.

Mon temps se divise entre le restaurant, les bras de mon homme et Clément, chez qui je passe presque tous les après-midi. Souvent la nuit je me réveille en sursaut avec la peur de perdre tout cela. Puis mon regard se pose sur le visage de Bastien et je me rendors rassurée contre son corps chaud.

D'un commun accord nous avons décidé de ne pas quitter Paris pour les vacances, sachant que Clément ne pourrait pas nous accompagner. Pour rien au monde je ne l'aurais laissé seul.

*
* *

Bastien est parti trois jours chez ses parents à Bordeaux. Pour la première fois depuis deux mois je m'apprête à dormir seule. Il fait une chaleur terrible et je n'arrive pas à trouver le sommeil. Je pense à la soirée que je viens de passer avec Clément qui a insisté pour m'emmener dîner aux Tuileries.

Comme toujours lorsque je suis avec lui, j'ai eu le sentiment que le temps s'était arrêté. Il m'a reparlé longtemps de son enfance à Paris, de ces étés où l'on se baignait dans la Seine, de son père et, bien sûr, de Marie... Pour la première fois, il a évoqué sa mère qu'il a si peu connue, les baisers sucrés qu'elle déposait sur son front lorsqu'il allait se coucher et sa formule magique pour chasser ses mauvais rêves : « Fais de beaux rêves, des rêves tout bleus, tout roses, tout tendres, dors mon amour... » Je n'ai eu aucun mal à imaginer le petit garçon qu'il était, et, en le regardant ce soir-là, j'ai eu un geste que je n'avais encore jamais osé faire. Je l'ai pris dans mes bras et l'ai serré très fort contre moi et, à son oreille, j'ai murmuré : « Je t'aime... Si tu savais comme je t'aime, grand-père ! Je te dois mon bonheur. Merci pour ce cadeau que tu m'as fait d'entrer dans ma vie. Je t'aime si fort ! » Les clients des tables voisines nous ont regardés interloqués. Pourquoi ce vieux monsieur et cette jeune fille pleuraient-ils dans les bras l'un de l'autre comme s'ils se disaient adieu sur le quai d'une gare ?

Je m'endors. Je rêve de Clément enfant. Il me sourit dans le soleil... Il tient la main d'une femme que je devine être sa mère. Je leur cours après et je prends l'enfant dans mes bras et le serre fort, très fort. Ils s'éloignent tous deux en me faisant au revoir de la main. Je veux les suivre, mais mes pieds sont figés au sol, ma main se pose sur la tête d'un chat... Marcus est près de moi.

Je me réveille en hurlant le nom de Clément, les mains tendues dans le vide...

35

J'ai su tout de suite, en la voyant arriver à notre rendez-vous, qu'il serait le dernier. Mais il a sans doute été le plus beau et le plus tendre. J'emporte avec moi son sourire et ses mots d'amour.

Tout est prêt... Merci de m'avoir laissé le temps de mettre tout en règle pour assurer l'avenir de mon enfant.

Sur la table près de mon lit, j'ai déposé les deux lettres que j'ai écrites il y a quelques jours, ayant trop peur de n'en avoir pas le temps. L'une est au nom de Marta et Roberto, l'autre, coincée dans le livre de Semprun, à celui de ma petite. Je ne suis pas malheureux... Je vais enfin retrouver Marie et je sais que je laisse Clara entre de bonnes mains.

Je me sers un dernier verre de porto, Marcus installé sur mes genoux. Jamais il n'a été aussi câlin... A-t-il compris que demain je ne serai plus là ? Charles Trenet chante dans mon appartement ses plus beaux morceaux. Je veux partir avec la joie de sa voix et ses mots pleins de vie.

La nuit est belle et rarement j'ai aussi bien vu

les étoiles de ma fenêtre. Mourir par une belle nuit d'été ! Quel luxe ! Aurais-je pu imaginer cela lorsque j'ai fêté mes vingt-quatre ans dans les camps, charriant sur mon dos de mal-nourri des charges trop lourdes et voyant mourir chaque jour des camarades ? Allongé sur mon lit, vêtu de mon plus beau costume, je ferme enfin ces yeux qui durant plus de quatre-vingts ans ont vu tant de choses en ce monde. Les plus belles comme les plus abjectes… Les images des camps et de la guerre disparaissent petit à petit pour laisser place à celles de mes plus grandes joies. Je sens Marie près de moi. Que tu es belle dans cette lumière… Telle que le jour de notre rencontre. Comme je suis heureux de te retrouver… J'arrive ma douce ! Les notes de musique s'estompent petit à petit. Mes oreilles bourdonnent. La douleur s'empare de mon corps, je la laisse couler en moi… Mon âme est si loin déjà… Adieu ma vie, je ne te regrette pas. Je pars… Je pars…

Clara…

36

Je cours dans les rues à peine éclairées par les premières lueurs de l'aube. Quelques jeunes qui n'ont pas encore commencé leur nuit me lancent des appels que j'ignore.

Peut-être est-il temps encore… La terrible intuition que j'ai eue à mon réveil se fait plus forte… Clément, ne pars pas… Je t'en prie !

En arrivant devant sa porte, je reprends mon souffle. Et si tout cela était une pure bêtise de ma part ? Si Clément dormait paisiblement ? Marcus qui a dû sentir ma présence se met à miauler. Son cri lugubre m'incite à frapper et frapper encore. Chaque coup que je donne sur la porte résonne en moi comme un coup de poing. Je me mets à hurler son nom telle une furie. Je vais réveiller tout l'immeuble. Quelle importance ? Si lui ne répond pas, que m'importe, à moi, que le monde continue d'exister ! Des voix m'arrivent du rez-de-chaussée. De l'aide… Mon Dieu, envoie-moi de l'aide !

Roberto et Marta, les yeux encore pleins de sommeil, font irruption sur le palier et me trouvent à terre sanglotant comme une enfant.

— Va chercher la clé ! hurle Marta qui a compris.

Le temps que son homme met pour revenir nous paraît un siècle. Elle me serre fort dans ses bras pendant que Roberto ouvre la porte et pénètre dans l'appartement. Un silence de mort... Un sanglot nous parvient... J'ai peur d'entrer, tellement peur d'avoir mal.

Clément est là, étendu, jamais il n'a été aussi beau... Je devine un sourire sur ses lèvres. Il est parti heureux. Il savait qu'il rejoindrait Marie cette nuit. Comment ne l'ai-je pas compris au regard qu'il a posé sur moi lorsque nous nous sommes dit au revoir il y a seulement quelques heures ! Je colle ma joue contre sa main déjà froide. Le souffle me manque. De ma vie je n'ai connu de douleur aussi grande, et je devine qu'elle sera toujours présente au fond de moi. J'entends comme dans un brouillard les pleurs de Marta et Roberto derrière moi.

Pourquoi es-tu parti ? Pourquoi m'as-tu laissée ? Nous avons eu si peu de temps... Marcus vient déposer sa tête sur mes genoux. Je devine sa souffrance.

Combien de temps resté-je ainsi à pleurer, mon front contre sa main ? D'un geste tendre, je remonte doucement sa chemise pour dégager son avant-bras. Et je pose mes lèvres sur les chiffres qui ont tant meurtri la peau et le cœur de mon grand-père. Qu'à cet instant ils se gravent à leur tour dans ma mémoire...

Marta m'oblige à me relever et à m'asseoir près de

la fenêtre. Elle me caresse la joue. Je vois qu'elle me parle mais je ne comprends pas ses mots. Elle finit par me tendre un livre d'où dépasse une enveloppe. La lettre de Clément me brûle les doigts... Je n'ai pas le courage de la lire dans cet endroit où la vie n'existe plus.

Roberto me dit qu'il va s'occuper de tout et que je devrais aller me reposer un peu et prévenir Bastien. Il a raison... Je refuse de voir le corps de Clément dans une caisse de bois. Avant de partir, je demande à Marta une paire de ciseaux. Je coupe une mèche de cheveux de mon grand-père que je glisse dans le livre. Je fais de même avec les miens et demande à Roberto de les mettre dans le cercueil de Clément.

Le soleil est haut maintenant... Les rues sont pleines de vie. Je marche le livre serré contre ma poitrine qui me brûle. Pour notre dernier rendez-vous je dois trouver un lieu qui nous ressemble. Naturellement, sans m'en rendre compte, mes pas me mènent au Jardin des Plantes, devant le banc où, avec Clément, nous avons commencé notre histoire. Je suis seule à présent... Comme tout cela me semble loin. Tu vas tellement me manquer...

Mon enfant,

À l'idée de te quitter ma main tremble en écrivant ces lignes. Il y a encore quelques mois, je n'aurais imaginé connaître un tel bonheur, celui de te rencontrer... Ma Clarinette, tu fus le dernier rayon de soleil et le seul depuis près de quarante ans qui donna vie à ma vieille carcasse.

Comment te dire tout ce que tu m'as apporté ? Jusqu'à toi j'ai longtemps cru que la vie ne me réserverait plus aucune joie. Elle fut, tu le sais, si dure avec moi... Tu es l'enfant que je n'ai pas eu, celui que j'aurais dû avoir si le monde n'avait pas basculé dans la folie. Je sais que je vais partir vers un long et beau voyage... Il est temps que je retrouve celle qui est restée près de moi, dans l'ombre de ma douleur, pendant bien des années. Avant toi, j'ai souvent demandé à Marie pourquoi elle me laissait sur cette terre où je n'avais que faire... Le jour où j'ai passé pour la première fois la porte de ton restaurant, j'ai compris ! Je devais te connaître, et être aimé de toi. Tout ce chemin pour arriver jusqu'à toi... Découvrir l'art d'être grand-père... Merci de m'avoir rendu heureux, Clara ! J'emporte avec moi ton sourire et ton regard plein de tendresse.

Je sais qu'en lisant ces mots ton cœur est lourd de tristesse et, en imaginant ton visage baigné de larmes, je ne peux que m'en vouloir... Ne sois pas triste, mon enfant. Sache que je pars heureux et confiant. Sache que je serai toujours près de toi à veiller sur ta vie. Je suis fou de joie de savoir Bastien à tes côtés. Tu as su trouver un homme digne de t'aimer.

Je ne te demande qu'une chose. D'être toujours heureuse même si parfois la vie peut te sembler difficile et injuste. La vie est merveilleuse ! Je l'ai découvert avec toi. Ce qui est formidable avec elle, c'est qu'elle nous réserve toujours des surprises et que, chaque matin, tu peux la transformer selon tes désirs. Fais de ta vie ce que tu veux qu'elle soit ! Comme le dit si bien notre ami Charles : « La vie est une aventure jolie, heureux qui sait la chanter... »

Ne baisse plus jamais les yeux devant cette honte dont tu m'as parlé et qui ne te regarde pas. Tu es la lumière et, face à elle, les ombres du passé sont impuissantes.

Et puis je te demande de toujours aimer ton pays. Il a beaucoup de défauts mais il a une âme magnifique ! Si un jour tu le dois, bats-toi pour lui. Qu'il reste toujours le pays de la liberté et une terre d'asile pour tous ceux qui le veulent. Et, en ma mémoire, ne laisse jamais dire de lui qu'il fut un pays de collabos, c'est une offense terrible faite à ceux qui comme moi se sont battus pour lui.

Mais je m'égare sans doute… Le vieux révolté que je suis a encore la force de monter au front.

Revenons à toi.

Un jour tu m'as dit que ton rêve serait d'avoir un lieu à toi… D'ici quelques jours sans doute, tu vas recevoir l'appel de mon notaire. La Buissonnière est tienne. J'ai tout de suite vu que tu aimais cet endroit, il te ressemble. Je te confie mes livres car je sais qu'il n'y a que toi qui sauras prendre soin de mes vieux amis et, si un jour tu es dans le besoin, sache qu'ils ont beaucoup de valeur et que ces derniers jours j'ai pris soin de noter au crayon sur chaque première page le prix que tu peux en espérer. N'hésite pas si tu as des questions à appeler Roger Grinaux, tu sais, le bouquiniste que je t'ai présenté plusieurs fois près du Pont-Neuf. C'est le seul en qui j'ai confiance ! Je te laisse mon petit appartement. Sens-toi libre de le vendre. L'argent qu'il me reste va à mes deux seuls amis, Marta et Roberto, qui je l'espère pourront enfin s'offrir la maison dont ils ont toujours rêvé au Portugal. Il me reste à te confier Marcus, mais cela, je sais que je n'ai pas besoin de te le dire. Tu verras que lorsqu'il a faim il peut être un peu insistant, mais il n'y a pas de chat plus aimant.

Encore une dernière chose… Il y a dans le tiroir de ma table de nuit un petit sac en tissu. Il y a bien des années, lorsque j'ai eu le courage de me rendre en Allemagne, j'ai ramassé de la terre dans un champ. Verse-la dans mon cercueil. Je sais que tu comprendras pourquoi…

Mon enfant de mon cœur, il me reste à te dire que je t'aime, et que les instants passés près de toi furent les plus beaux de mon existence depuis la perte de Marie. Et jusqu'à mon dernier souffle je remercierai la vie de t'avoir placée sur ma route. Tu fus ma revanche.

SOIS HEUREUSE !
Ton grand-père,
Clément.

ÉPILOGUE

Quel beau jour que celui-là ! Je n'avais pas pleuré comme ça depuis la mort de ma femme. Sauf qu'aujourd'hui ce sont des larmes de joie qu'a versées le vieux Léon.

La petite était magnifique dans sa robe de mariée, une vraie princesse de magazine. L'église était noire de monde. Il faut dire qu'en un an les deux tourtereaux ont su se faire aimer dans la région ! Ils ont redonné vie à mon vieux bistro. On vient de loin pour goûter la cuisine du Bastien !

Clément a dû être heureux de là-haut... Au moment de dire oui, j'ai vu Clara se tourner vers une chaise vide qu'elle m'avait demandé de placer près de l'autel avant la cérémonie... Comme pour demander son consentement à l'absent. C'est qu'ils se sont aimés, ces deux-là !

Je les revois à la sortie de l'église. Vivent les mariés ! Leur amour vous redonne vie !

Et puis le petit Clément que Clara tenait dans ses bras lui ressemble tant !

REMERCIEMENTS

Pour leur aide, leurs conseils et leur amour, je remercie Ève de Lamaze, Charlotte Liebert-Hellman, Morgane Pomponi, Isabelle Al Baron, Elsa Lafon, Anna Souillac, Maïté Ferracci, Michel Lafon, Morgan Di Folco, India Salvy, Raphaël Sorin, Baptiste Pécriaux, Jean-Lou Hubert, Alexi Manuel, Franck Spengler, Camille Deforges, ma mère, mon père.

Faites de nouvelles rencontres sur pocket.fr

- Toute l'actualité des auteurs : rencontres, dédicaces, conférences...
- Les dernières parutions
- Des 1ers chapitres à télécharger
- Des jeux-concours sur les différentes collections du catalogue pour gagner des livres et des places de cinéma

Retrouvez ce livre et
des milliers d'autres
en numérique chez

12-21

➔ *www.12-21editions.fr*

Composition et mise en pages
FACOMPO, Lisieux

Imprimé en France par

MAURY IMPRIMEUR
à Malesherbes (Loiret)
en février 2017

POCKET – 12, avenue d'Italie – 75627 Paris Cedex 13

N° d'impression : 215761
Dépôt légal : mars 2017
S26391/01